*L'homme
qui m'offrait le ciel*

Calixthe Beyala

L'homme qui m'offrait le ciel

ROMAN

Albin Michel

IL A ÉTÉ TIRÉ DE CET OUVRAGE

Vingt exemplaires
sur vélin bouffant des papeteries Salzer
dont dix exemplaires numérotés de 1 *à* 10
et dix exemplaires, hors commerce, numérotés de I *à* X

Mon amour,

Écrire à une femme dont c'est le métier, lui écrire pour lui dire l'amour intense qu'on lui porte... Comment exprimer par les mots un sentiment que tu décris si bien dans tes livres ? Je ne suis qu'un montreur d'ours dont le métier consiste à donner la parole aux autres. Pourtant depuis quelques mois, et c'est une sensation très forte, j'ai envie d'écrire. Et c'est toi, mon amour, qui as déclenché ce désir, ce besoin d'essayer de traduire par le verbe le sentiment amoureux, cette passion nouvelle qui me traverse de part en part.

Je me regarde chaque matin dans la glace de la salle de bain. Je me dévisage et je découvre chaque jour un regard différent, une expression nouvelle. J'ai tout simplement changé, grandi, mûri ; une maturation tardive. À plus de soixante ans bien sonnés. Je découvre ce que l'on ressent quand on aime d'amour. Mon corps et mon cœur palpitent différemment. Mon rythme cardiaque me transmet des messages nouveaux pendant que je travaille. Je sais discerner la tachycardie professionnelle de la palpitation amoureuse. Je savais en dînant avec toi pour la première fois que notre rencontre marquerait ma vie, quel que soit l'avenir de notre histoire. J'ai su très vite que tu aurais sur moi un effet... bénéfique. J'ai découvert au fil des mois le plaisir d'échanger, d'être silencieux la tête posée sur une épaule nue, la violence d'une jouissance inconnue auparavant. Tu as tant de réserve de bonté, de générosité, tant de trésors d'intelligence, tant de talent.

Tout à l'heure, sur le quai de la gare, tu étais si belle, si impériale avec ce port de tête et cette démarche si fluide. Tu es à la fois si... si solide, si indestructible et si fragile, si touchante dans tes combats multiples. Quand je pense à toi, c'est toujours de manière différente parce que tu n'es jamais la même. À chaque heure de la journée, tu es une femme différente : chic, habillée, en peignoir, nue et abandonnée au plaisir. Je te regarde chaque fois avec un œil étonné. Je n'arrive pas à croire qu'on se connaît depuis plus de neuf mois, le temps que naisse notre histoire, une histoire qui me porte, me transporte, m'intrigue, me fascine. Je me demande comment j'arrive à vivre ma vie d'avant alors que tu occupes l'essentiel de mes pensées, de mes désirs. J'imagine tous les plans nouveaux que je pourrais inventer pour te voir toi qui occupes déjà une si grande place dans ma vie de fou. J'aime toujours autant mon métier mais je veux le faire différemment pour être encore plus avec toi. J'ai toujours la même affection pour ma famille, mais je dois être vigilant pour ne pas la blesser. Dans les semaines qui viennent, j'ai de nombreux voyages à faire. Tu seras dans mon cœur en permanence, j'ai un si grand besoin de toi, de penser à toi. Je travaille mieux depuis que tu es dans ma vie. Chaque matin je me lève en me demandant ce que je pourrais faire pour te rendre plus heureuse. Je voudrais que tu saches combien chaque jour je me rapproche de toi, comment tu m'inspires des sentiments nouveaux, plus forts, plus doux. Je connais la vie de couple au quotidien mieux que personne ; j'en connais les pièges inévitables parce que le temps est un adversaire coriace. Je connais maintenant le stress amoureux, l'envie d'aimer davantage, la jouissance de l'amour fort, la profondeur des regards, la beauté des souffles, la peur de n'être plus aimé. Ma plume court sur le papier. Ton visage m'accompagne toujours dans le reflet de la vitre, plus net que tout à l'heure car la nuit est tombée et la lampe de chevet éclaire ton regard que je connais si bien. J'ai l'impression que tu lis ma lettre par-dessus mon épaule. Cette lettre va-t-elle te plaire ? Vas-tu la trouver puérile ? Niaise, infantile ? Comment étaient les lettres d'amour que tu as reçues avant moi ? Les as-tu gardées ? Mes yeux commencent à se fermer. Je m'endors doucement. Je t'aime, ma princesse noire.

François

1

Avant que François ne croise ma route, je m'échinais à épouser des combats pour ne jamais me perdre. Je défendais les droits des femmes ; je combattais les parents indignes ; je me battais pour les minorités visibles. Je me battais pour tant et tant de choses que je n'ai pas vu passer ces quarante années de lumière solaire. C'est ainsi que j'aimais. Love and peace. I love you et des darling chéri ici, et des te quiero mi amor servis à tous, même à ce passant dont le regard hurle qu'on devrait me reconduire aux frontières.

Je m'ouvrais à tous les vents idéologiques pour mieux m'enfermer. Et lorsqu'un homme essayait de m'embobiner avec sa voix pierreuse, je donnais une pincée d'agressivité à mes yeux, « espèce de couillon », pensais-je, tandis que ma gorge expédiait une rasade de rire. Puis, je redressais la tête, je balançais une bouffée de dédain pour camoufler la faiblesse de mon cœur. Je ne voulais pas qu'on épluche mon âme. J'étais de ces femmes qui mettent les mains aux hanches par temps mouvementé. Je tournais les talons.

Et c'était bien. Bien, ma vie d'écrivain. Bien, ma vie de militante… Les coups tirés par mes adversaires étaient ma raison de vivre, mon véritable pont avec la réalité. J'appartenais à une génération de femmes qui avaient un métier. J'étais capable d'élever seule mes enfants, de discuter dans l'assemblée des hommes, d'y revendiquer une place et de l'obtenir. J'étais heureuse, du moins le croyais-je, de marcher seule dans le soir jusqu'à l'heure où la lune s'effiloche. J'avais l'âme à l'envers et c'était tout aussi bien.

Mais ce matin-là, quand j'ouvris les yeux, je vis qu'il n'y avait pas de brume, au contraire le ciel était rose. J'avais décidé d'aller à une conférence de presse où les grands de notre petit monde plongent leurs regards sur des documents épais pour y extraire des solutions. « Je vais enfoncer mes ongles dans le bras de chacun de ces hommes, me disais-je. Je vais les griffer jusqu'au sang et les interpeller : sans les minorités, messieurs, votre société est incomplète. »

Tandis que l'eau coulait sur ma tête, s'émiettait en cristaux sur mon corps, je cherchais la manière de poser ma question afin qu'elle soit pertinente. Je m'habillais sans me presser. « Pourquoi les hommes ne sont-ils pas généreux ? Est-ce si difficile ? » Des images cognaient dans ma tête, pêle-mêle : celles pitoyables des mendiants de Calcutta à qui il fallait quelques centimes d'euros pour survivre ; celles des enfants aux cous de poulet du Sahel qui pourraient s'engraisser des seules poubelles de l'Occident ; celles des femmes empagnées ou voilées qui mangent la poussière devant leurs cases bombardées. Ça se bousculait dans mon crâne et je ne savais plus où ranger toute la misère du monde.

Je marchais d'un pas vif. Mes cheveux se soulevaient comme un rideau dans le vent. Ma jupe bleu électrique, beau dire, beau faire, toisait les désirs. Dites-moi, dans ce rose matinal, y a-t-il deux femmes qui marchent ainsi fermées à l'amour ?

— Bonjour, Andela, me dit mon voisin Béchir, un Arabe qui avait tant fantasmé son Algérie natale qu'il ne souhaitait plus y vivre. Que t'es belle !

Son cœur catafalquait. Ses yeux empaquetaient mes jambes nues pour les catapulter dans son sommeil. Il avait laissé sa famille en Algérie et vivait la misère sexuelle de ceux qui vont à la conquête de Paris.

— Comment ça va, monsieur Béchir ? demandai-je.

Nous nous fîmes des salamalecs interminables sur des choses évidentes. Quelques adolescents pantinois dansaient sur des musiques à vous briser les tympans. Vite, vite, à cette conférence, où je sais tout, oui, je sais tout, je sais aussi que ce n'est pas là-bas que se trouve la solution.

La salle de la conférence est lumineuse. Des journalistes se bousculent pour savourer les monologues insipides et arrogants de leurs patrons. Chacun veille à être reconnu. On bataille pour la survie médiatique. Les mains que je serre sont moites. Les baisers dont on me crédite ont l'air absents. Je continue à faire comme tout le monde sans rien prendre au sérieux. Frédéric me prend par le bras, je me laisse faire, je n'ai pas besoin de sonder la terre pour vérifier la solidité de notre amitié.

– Comment ça va, Andela ? me demande-t-il.

– Quand est-ce que tu reviens aux livres au lieu de perdre ton temps à la télévision ?

Il éclate de rire. Où sont passées les heures où nous nous amusions à fouiller les entrailles de telle œuvre ou de tel tableau soi-disant consacré ? Tant de dettes à payer ! Loyer, impôts, lait, fournitures scolaires, que de choses à payer, tant de choses que ça fait oublier bien des choses.

Et comme il respire à l'exacte pulsation de mes pensées, je lui presse la main puis m'écarte pour m'avancer dans ce haut lieu des discours tout faits. J'embrasse ceux que j'aime, Monsieur Tout le monde en parle qui, sous sa langue aussi effilée qu'un couteau, ne tolère pas le miel collant de l'hypocrisie ; je souris pour de vrai à Monsieur Culture et indépendance qui, sans comprendre les révoltes lointaines, laisse travailler suffisamment sa tête pour en capter les bribes. Je bise d'autres stars du petit écran pour qui j'ai de la sympathie parce qu'elles ne méritent justement aucune sympathie.

Une voix telle une mélopée de perles résonne dans mon dos.

– Ayo Bandé-é ! Andela, dis donc, dis-moi, quel est ton secret ?

Manu est un bonheur d'ami. Sa gentillesse suinte par tous ses pores ; sa langue sans poison clapote toujours à la recherche de la doucerie qu'il pourrait vous dire. Il me scrute en faisant rouler ses yeux comme des billes.

– Dis donc, Andela ! T'es magnifique ! Tu ne vieillis pas, bana loba ! Alors que nous là, dis donc... Mes rhumatismes ont failli m'empêcher de sortir ce matin, dis donc...

Je n'ai pas le temps d'attrouper trois mots dans ma tête que François est entre nous. Il émane de lui une rigueur d'homme, une expression bienveillante. Il salue Manu sans m'accorder un regard et je sens la rébellion m'envahir me rendant aussi intouchable qu'un volcan en éruption. « Fais chier çui-là, me dis-je. Qu'il aille se faire photographier ailleurs… »

– J'aime vos combats, madame, me confie-t-il soudain d'une voix admirative. Et je vous soutiens.

La surprise me tétanise tant que j'exprime alors la seule chose qui justifie son humanité à mes yeux.

– J'ai été touchée par la mort de votre frère, dis-je précipitamment. J'ai moi aussi perdu une sœur aînée avec qui j'étais très liée.

– Voulez-vous qu'on se rencontre et qu'on en parle ? me demande-t-il.

– Pourquoi pas ?

– Donnez-moi votre téléphone.

J'énonce des chiffres qu'il griffonne. Je sais d'avance qu'il ne m'appellera pas. Je connais trop cette pantomime de feintes cordialités, de sympathies téléguidées et d'amitiés à intérêt différé. Je suis soulagée de le voir partir à la reconquête d'un monde qu'il s'obstine à séduire sans faille depuis tant d'années.

J'ignore alors que cet homme aux cheveux poivre et sel, à la peau tavelée, cet homme aux gestes d'écolier sage s'est gravé dans mon âme ; j'ignore que j'ai imprimé son visage vieillissant et qu'à un moment donné, ma vie va se résumer à ses lèvres que mes lèvres voudront effleurer. J'ignore alors que, dans les reflets du jour, dans les mouvements obscurs du sol, nous semons des graines que n'emporte pas toujours le vent.

2

Le schéma de l'amour est identique au schéma de la folie. J'avais déjà assez de folie. Je ne comprenais absolument pas l'engouement de mon amie et femme de ménage Rosa pour les doudous, c'est bon chéri. Elle écumait les rues de Paris à la recherche d'un mari à défaut du grand amour. Elle distribuait son téléphone dans les métros. Elle parcourait les agences matrimoniales. Elle se laissait inviter à danser, à boire un verre, même offert par un qui porte un pantalon qui lui tombe mal sur les fesses. Son arrière d'Africaine tressautait lorsque son portable sonnait : « Où est mon portable ? hein, Andela, ça sonne, ça sonne ! » s'angoissait-elle. Ses cent kilos avec os se déplaçaient alors à la vitesse de la lumière. Ses mains tremblaient. Elle adorait par-dessus tout les erreurs de numéros qui l'amenaient à fantasmer.

— Vous cherchez qui ? Marthe ? Moi, c'est Rosa. Non, monsieur, vous vous trompez. Que puis-je pour vous à la fin ? Ah ! vous êtes sûr qu'on ne s'est pas encore rencontrés ? J'aurais juré que si… Rencontrons-nous. Demain ? Où ? Quelle heure ? J'aurai un foulard sur la tête.

Puis, elle posait ses doigts dodus sur sa bouche et éclatait de rire :

— Sûr que c'est Kassi… Il veut revenir et fait téléphoner un ami, je te jure ! Il doit manger les cailloux de la souffrance depuis qu'on ne se voit plus…

— Possible, disais-je sans cesser d'arroser mes plantes ou de humer l'odeur de la sauce d'arachide que je confectionnais.

— Je vais le torturer.

— C'est ça.

— Lui rendre coup pour coup tout le mal qu'il m'a fait.

— C'est ça.

— Le castrer.

— Je t'y encourage.

— Trente ans qu'il me fait attendre.

— C'est cruel.

— Ne fais pas comme moi, Andela. J'ai eu plus de cent prétendants et aujourd'hui, je ne fais que me pencher dans la rue et regarder ceux qui ont leurs maisons, leurs enfants, leurs chats.

— Tu finiras par trouver l'amour.

— Un mari me suffirait. Mais toi, t'es tellement fermée ! Une femme doit s'exposer pour trouver chaussures à ses pieds. Avec l'âge, les nuits deviennent de plus en plus froides.

Ce jour-là, la sonnerie de mon portable m'arracha à la chronique de ma déchéance énoncée par Rosa.

— Madame Andela ? me demanda une voix que je ne connaissais pas.

Je tressaillis, prête à envoyer l'enquiquineur cueillir des mangues vertes.

— Qui est à l'appareil ? répondis-je.

Le nez spongieux de Rosa frémit :

— C'est qui, hein, Andela ? demanda-t-elle en laissant tomber le balai de ses mains. C'est qui ?

— C'est François, me dit la voix au téléphone. Vous vous souvenez de moi ?

Me souvenir de lui semblait essentiel. Défaut de visibilité ou d'existence ? me demandai-je. Je happai l'air afin de raviver ma mémoire.

— Oh oui, bien sûr !

— Est-ce que ça vous dirait que nous nous rencontrions ? J'aimerais tant que nous parlions de nos expériences communes, la perte d'un être cher...

— Ça serait avec plaisir, dis-je, et la Rosa pouffa : « C'est un dragueur, hein, Andela ? Dis-moi... Dis-moi vite. »

— Êtes-vous libre demain soir ?

— A priori oui, dis-je.

— Le Berkeley, ça vous va ? Vous savez, le restaurant au bas des Champs-Élysées.

— Je connais. Bien que je ne fréquente jamais cet arrondissement.

— Très bien... À demain.

Je raccrochai, fière d'avoir laissé entendre que je n'habitais pas comme lui un de ces quartiers méprisants où les chiens de race mangent mieux que les pauvres.

22

— C'est qui, hein, Andela ? répéta Rosa en gesticulant autour de moi. Dis-moi vite.

— Je ne sais pas.

Qui était-ce en réalité ? Je me souvins de ses yeux tristes. Pas seulement les yeux. Toute sa personne si avenante semblait remorquer la détresse d'un condamné. Qu'attendait-il de moi ? Une recette miracle ? J'avais perdu un être cher. J'avais vécu au centre de ce chagrin. Je le portais toujours sur mes épaules et cherchais encore avec qui le partager, à défaut de lui dire : « Débarrasse-moi de ce fardeau, toi. »

Plus tard, lorsqu'il m'avouera en triturant son alliance qui cassait tout son mordant : « Un chagrin est un chagrin, que ça soit la détresse d'une dame âgée du 7ᵉ arrondissement de Paris, ou la blessure amoureuse d'une jeune femme du 93 », je lui rétorquerai : « Le chagrin est plus léger lorsqu'on dort dans de la soie que lorsqu'on se demande que faire pour payer son loyer. »

Il m'attendait assis à une table discrète, le dos voûté. De loin, on eût dit un cheval fourbu. Il se dégageait de sa personne cette aura des vieillards aux rêves déjà penchés vers la mort mais qui s'émerveillent encore devant l'éclosion d'une rose. Il m'accueillait avec un tel enchantement qu'on eût cru que j'étais un bouquet d'étoiles.

— J'ai eu beaucoup de mal à arriver jusqu'ici, me justifiai-je. J'espère que vous ne m'attendiez pas depuis…

— Plus de trois quarts d'heure, me dit-il en regardant sa montre.

Je pris place et faillis écraser la queue d'un labrador qui s'aplatit de peur sous la table.

— C'est Max, mon chien. Il a été battu bébé, ce qui explique qu'il soit craintif. Vous aimez les animaux ?

— Non, dis-je précipitamment. J'ai eu beaucoup de chagrin lorsque mon chien est mort. Mozart, il s'appelait. Depuis, je n'en veux plus.

La poussière de nos réalités embrouillait déjà mon esprit lorsque nous passâmes nos commandes. Il se contenta d'une sole grillée qu'il grignota tandis que je m'empiffrais d'un énorme pavé de bœuf, me disant : « Nous ne sommes pas du même monde. » Me disant encore : « Ses préoccupations sont trop loin des miennes. » De sa mémoire remontait un paquet d'anecdotes. Je l'écoutais comme une qui serait sans autre ambition que de ramasser les miasmes de son exceptionnel destin. J'épiçais son verbiage d'éclats de rire, si bien qu'à la fin, tout à ma fiction, je crus que nous vivions un moment précieux, comme le reflet du soleil sur un verre de champagne.

– J'ai lu vos livres, me dit-il.

– Ah, oui ? « Quel petit menteur ! » pensai-je. Lesquels ?

– *La Petite Fille du réverbère*. C'est le plus autobiographique de vos écrits, non ?

– Sans doute. J'y raconte mon enfance.

– Vous avez beaucoup de talent.

– Merci, dis-je.

« Tu n'en sais rien, mais ça fait plaisir à entendre », pensai-je encore.

Mais lorsqu'il se mit à parler de son frère mort, sa voix forma des roues dans les ténèbres.

– Aviez-vous connu mon frère ?

– Non, monsieur.

– Vous avez entendu parler de lui, médaille d'or du CNRS, médaille Field, docteur d'État en mathématique, commandeur de la Légion d'honneur. Il conseillait les plus grands de ce monde.

Et le souvenir du frère brillant rythma le mouvement de nos fourchettes.

— Le monde entier l'admirait. Il avait juste un an de plus que moi.

Ses yeux se mouillèrent, à moins qu'il ne transpirât là, juste en dessous de l'œil.

Mon regard se perdit sur le mur. D'une main d'aveugle, je caressai le chien qui se laissa séduire. Je me tournai ensuite vers François et lui adressai le plus froid de mes sourires pour ne pas éclater en sanglots.

— Je me sens si seul depuis qu'il n'est plus là.

— Les morts ne sont pas morts. C'est peut-être une ânerie qu'on dit en Afrique. Mais ça me permet de mieux supporter la perte d'êtres chers.

— Mon travail me sert de thérapie. J'oublie lorsque je travaille. Tant de dossiers à préparer avant mon émission. Des reportages à revoir pour imprimer le fil conducteur dans mon esprit, vous savez…

– Que faites-vous exactement ?

– J'anime en ce moment une émission sportive sur Canal +. Je reçois des invités qui commentent avec moi des matchs de la semaine et ils en profitent pour faire leur promotion.

– Je ne regarde pas souvent la télévision. J'en suis désolée.

– Vous êtes l'une des rares personnes à ne pas me connaître.

– J'ai passé ma vie à me battre contre tout et n'importe quoi. Je n'ai pas pris le temps de me distraire, me justifiai-je, honteuse.

– Vous faites avancer les choses. J'aurais aimé avoir votre courage.

– Ce n'est pas du courage, mais de la désespérance, vous comprenez ?

Il eut un silence... Un halo de lumière trembla. Un serveur apparut. « Ces Monsieuret-dame souhaiteraient-ils prendre un dessert ? » C'est alors que je m'aperçus que François avait caché la raison de son invitation au fond de ses yeux. Il lorgnait mes jambes que découvrait ma robe bleue. Je l'épiais de biais tandis qu'il émettait son désir de foufoune sans qu'il puisse s'en rendre compte. Quand son esprit eut assez de s'illuminer d'étranges envies, il me dit :

— Je suis quelqu'un de très anxieux. C'est ma maladie. L'angoisse et l'anxiété.

— La lecture détend. Lisez, vous oublierez vos inquiétudes.

Ses lèvres s'amincirent.

— Je n'ai pas non plus le temps de me distraire. Je dois vérifier des tas de dossiers pour ne rien oublier, ni commettre d'impairs. Vous savez, le grand drame de ma vie c'est de n'avoir pas fait d'études ; pour compenser, je dois bosser comme un fou.

— Il y a autant d'imbéciles chez les diplômés que chez les analphabètes, rassurez-vous.

— Vous vous moquez ?

— J'ai une langue amère. Je ne dis jamais ce que je ne pense pas.

— Je sais au moins que j'ai une chose : l'intelligence du cœur.

Il se lança dans un discours sur les études de médecine qu'il n'avait pas faites. Qu'il regrettait ses cancreries d'adolescent. Qu'il n'avait pas pu faire comme ses frères qui avaient réussi dans ce domaine, mais qu'il était un médecin à sa façon, un médecin des âmes. Il en connaissait un rayon sur les coliques gastriques, les bronchites asthmatiformes, les oreillons, les colites, les cancers de la prostate, le diabète, la grippe intestinale et d'autres maladies si rares que ma mémoire, pour sauver ce qui lui restait d'octets, ne les retint pas.

— Vous devriez lire *Le Vieux Nègre et la Médaille*, dis-je, pour changer de conversation. C'est un livre très drôle, écrit par un Africain, Ferdinand Oyono.

— Je n'arrive jamais à me concentrer longtemps sur un même sujet, j'ai une concentration multiple. J'espère que vous faites souvent vos analyses. Moi je fais un bilan sanguin complet chaque semaine.

— J'ai horreur d'aller chez le médecin.

— Vous devriez prendre soin de votre santé. Il ne faut jamais être négligent, même si comme vous on a toute la beauté et la santé du monde.

Et retournant à son obsession, il tourbillonna dans la ronde des maladies connues et inconnues. Il virevolta dans les infections et marina dans les examens biologiques. Je tentai de fuguer des hôpitaux en parlant de cette blonde aux seins pigeonnants dans un étroit soutien-gorge :

« Elle est jolie, vous ne trouvez pas ? »

Son regard, un regard portant sa lumière vers l'intérieur de soi, balaya la femme. Il fit une moue, haussa ses épaules et le service neurologique me rattrapa. « Il faut de temps à autre faire un scanner du cerveau au cas où. »

Je ne trouvai qu'une chose à faire, le ramener à lui-même par d'autres escaliers.

– Vous me rappelez ma fille. Elle aussi est très dissipée en classe et, si j'en crois mon expérience, vos parents ont dû beaucoup en souffrir.

– Ils étaient si inquiets qu'ils se demandaient tout le temps : « Mais qu'est-ce qu'on va faire de lui ? »

Je lui souris et le silence, une longueur de silence, s'installa entre nous, sans combler le trou de l'émotion. Puis sa voix s'éleva pour ressusciter le père. Ce père, quel scélérat ! Fou, fou, fou des femmes ! Il avait brisé sa mère en la trompant à chaque carrefour ! Un flibustier ! Ah, l'abandonneur ! Mais n'empêche... toute une colonie d'admiration peuplait ses yeux lorsqu'il l'évoquait dans ses fonctions d'avocat.

Quel homme, quel homme ! Il vivait pour ses clients, respirait par eux. Il se métamorphosait en spécialiste de droit commun le matin, en défenseur de la cause féminine à midi et en fiscaliste le soir. Quel homme ! Quel homme ! En fermant les yeux, je pouvais me promener dans la salle à manger de la maison familiale. Je prenais place dans la salle d'attente du cabinet juridique. Je grimpais sur cet arbre où, enfant, François se réfugiait pour mater la nudité des femmes que son père grand pourfendeur des sexes tâtait.

Et sa maman, dressée en femme-flamme dans un foyer souffreteux et qui s'occupait de ses trois garçons. Elle supporta mille vexations et, pour le bien de ses enfants, elle leur recommandait : « Ne suivez pas n'importe qui... Ayez de la reconnaissance pour ceux qui vous ont aidés... Travaillez... Travaillez... Et dites toujours merci. »

Mais voilà... la Bretagne avait beau l'avoir vu naître, François ne lui en fut pas reconnaissant. Pour l'adolescent, les jours y avaient la couleur et l'odeur d'un vêtement de clochard. Les espiègleries des merles et les rumeurs marines l'ennuyaient. Il regardait les trains qui montaient vers Paris et songeait au jour où, enfin, il s'y hisserait, échappant ainsi à la monotonie de l'océan, à l'attente morose qui avait gangrené son enfance.

Je l'écoutais en songeant à sa mère, à nous femmes, dont les livres d'histoires taisent les sacrifices. C'est elle qui les avait élevés. C'est elle et elle seule qui avait réussi à les transformer en hommes. Éternelle injustice, cette histoire écrite au masculin. Jusqu'à quand se perpétuera le silence des femmes ? me demandais-je. Je ne l'interrompis pas, le laissant dérouler pour moi les lianes de ses souvenirs. Il parla, parla jusqu'à ce que le monde entier nous rattrapât et une foultitude de paires d'yeux nous tombât dessus. François fourgua un sourire à gauche, deux sourires à droite.

Nous quittâmes le restaurant. Il était très à l'aise alors que je me sentais cernée. Je voulais reculer, aller me perdre dans un recoin sombre. J'avais la sensation que les gens attablés pensaient que nous symbolisions l'alliance de toutes les contradictions qui donnaient sens et beauté à l'univers.

- J'aimerais vous revoir, si vous le désirez bien sûr, me dit-il alors que je m'apprêtais à monter dans ma voiture.

— Ça serait avec plaisir.

Nous restâmes silencieux, là sur ce trottoir de l'avenue Montaigne, enfermés dans cette variété de folie muette où les mots n'ont plus de talent. Plus tard il m'écrirait : « Lors de notre première rencontre, j'ai su que tu marquerais ma vie à jamais, quelle que soit la suite de nos relations. »

Mais présentement, il s'exprimait en ces termes :

— La mort de mon frère m'a permis de m'apercevoir qu'il n'y a pas que la réussite sociale dans la vie.

— Quelquefois, les chagrins réveillent des zones endormies de notre être, dis-je. Malheureusement, ce processus est douloureux.

— J'en ai assez de vivre sans émotion hormis l'accélération de mon rythme cardiaque lorsque la caméra se braque sur moi.

— ...

— Je travaille depuis quarante ans. Je ne connais de la vie que des contraintes et des devoirs. J'aime passionnément mon métier, mais il y a d'autres choses que j'aimerais découvrir.

— ...

— Chez moi, je vis comme à l'hôtel. J'y viens juste pour récupérer de mes journées.

— ...

— On fait silence pour que je me repose. On se demande juste si mes émissions marchent bien. Rien d'autre.

— ...

— Voulez-vous avoir la gentillesse de me déposer à ma voiture ?

— Bien sûr.

Il monta et je roulai longtemps, sans me demander où il était garé. Il me parlait toujours, messieurs, mesdames, chiens, chats, croyez-moi, c'est la vérité, il me parlait toujours.

— C'est celle-là, me dit-il soudain en m'indiquant une Mercedes stationnée à côté du restaurant où nous avions dîné.

— Merci pour ce dîner, dis-je.

— J'aimerais vous revoir.

— Je pars en voyage demain. Je vais au Togo.

— Laissez-moi votre numéro, je vous rappel-
lerai.

— Vous promettez de le faire ?

— Je le ferai.

Il m'embrassa et s'en alla. J'ignorais encore
ce que je voulais.

Plus tard, je m'aperçus qu'il m'avait rempli
les oreilles de mots, des wagons de mots, des
trains entiers de mots, des mots fossiles, des
mots missiles, des mots fragiles, des mots cara-
mélisés qui voletèrent longtemps sur mon cœur
tels des papillons noirs.

3

Ne me rends pas heureuse, car si je sais qu'il y aura toujours de la brume ou du soleil dans la cité, je ne veux pas connaître ce qu'il y a au-dedans de moi. Je ne veux pas me laisser emporter par des vents véloces et violents, je ne veux pas sentir comment est faite l'âme de ceux qui aiment. Je veux continuer à rêver comme rêvent ceux qui énoncent des phrases de paix ou de guerre, des phrases contre la pollution de l'air, contre les inégalités, ces phrases qui engagent ceux qui les prononcent mais ne les mettent pas à nu.

Dans la salle de conférence à Lomé, des Africains s'étaient agglutinés dans des fauteuils rouges. De loin, leurs têtes faisaient penser à un troupeau de chèvres. Sur l'estrade, les intervenants penchaient leurs crânes, plongeaient leurs regards dans le public, marquant de leur sceau chaque syllabe prophétique qui tombait de leurs lèvres. De temps en temps, l'un d'eux ôtait ses lunettes, les nettoyait pour mieux contempler l'effet de ses paroles sur l'assemblée. Comme d'habitude, on phrasait beaucoup, on ne solutionnait pas. Tout le monde semblait blasé par le discours sur la mainmise de l'Occident sur l'Afrique. Des hommes bouboutés ou cravatés cachaient leurs bâillements derrière leur main ; certains se grattaient le cou, d'autres les aisselles. Des femmes remettaient en place les bretelles de leur soutien-gorge sous le regard gourmand des intellectuels. On écoutait les mêmes frondes depuis les indépendances tcha-tcha : « Les Blancs exploitent nos richesses ! Ils dirigent nos pays par l'entremise des chefs d'État fantoches ! » Et après quoi ? On continuait à téter la même misère. On langeait la même pauvreté. Il ne restait qu'à boire un verre de vin de palme, à se jeter sur le lit et à réciter trois Ave Maria, ça donne de très bons résultats pour espérer. Tout était ennuyeux.

J'en avais assez de cette pénurie d'idées, de

cette indigence de concepts. Après m'être repoudré le nez et passé de multiples fois la langue sur les gencives, mes os n'en purent plus d'écouter ces blablateries.

À l'extérieur, le soleil frappait et ce n'était pas une nouvelle. La terre, la terre rouge explosait en cris, en rires, en larmes. Des femmes empagnées, sandalées, allaient çà, là, avec des bébés dans leurs dos. Elles vendaient n'importe quoi, des cacahuètes par ici ; des noix de coco par-là. Elles ne voulaient pas être celles dont personne n'a besoin.

Je m'enfonçai dans cette Afrique jusqu'à ce que ses bruits s'atténuent et disparaissent. Dans le hall de l'hôtel, j'esquivai les gens, c'était mon habitude, j'avais toujours détesté qu'on me reconnaisse. Mais un homme gras, au visage tel un masque, planta ses jambes en x devant moi :

— Madame Andela ? me demanda-t-il. Que je suis heureux de vous rencontrer enfin.

Il me tendit sa main moite.

— Je suis un de vos fervents admirateurs. Je lis tous vos articles dans *AM*.

— Merci, dis-je en esquissant un sourire.

– Dites-moi, comment avez-vous fait pour vous en sortir ? C'est extraordinaire votre parcours.

– Mon parcours ? Vingt pour cent de chance et quatre-vingts pour cent de travail.

C'est toujours ainsi que je parlais aux Africains, manière de leur dire qu'ils ne s'étaient pas battus, n'avaient pas assez travaillé pour nourrir leurs enfants, protéger leurs femmes. Quatre-vingts pour cent de travail. Oui, il fallait ça. Ils ne l'avaient pas fait. Ils avaient laissé les Blancs tout leur prendre, leurs terres, leurs corps, leurs sous-sols, leurs rivières, leurs poissons, leurs brousses, leurs montagnes, ils n'étaient pas des hommes, pas des hommes, ils se laissaient manipuler jusque dans leurs pensées, oui leurs pensées, même leurs foutues protestations venaient de l'extrême gauche occidentale, pas des hommes, oui pas des hommes, ils déambulaient çà et là, avec les idées d'autrui plein la bouche, infoutus de créer, frimaient dans les avions qu'ils n'avaient pas créés, conduisaient des voitures qu'ils n'avaient pas créées, portaient des costumes cravate qu'ils n'avaient pas créés... pas des hommes, oui pas des hommes, avec des manières qui n'étaient même plus d'eux, avec quelques terres d'ancêtres dont les femmes s'occupaient, quelques chèvres dont les enfants prenaient soin, des hommes qui dépendaient pour beaucoup d'entre eux des femmes et des enfants pour se nourrir. Immédiatement, les gens nous entourèrent. Des maîtresses à petits cadeaux, qui traînaillaient en attendant d'être ramassées par un aux poches de pantalon remplies de CFA au lieu de peluches de tabac, écarquillaient les yeux en me voyant ; des adolescents vendeurs de Ray Ban made in Hongkong tournoyaient autour de nous, comme des oiseaux.

— Paraît que vous n'aimez que les hommes blancs, madame Andela. Est-ce vrai ? Si c'est vrai, vous m'en voyez déçu.

— Pourquoi êtes-vous déçu ? demandai-je, furieuse, serrant mes poings pour contenir un désir violent de le frapper. Aviez-vous l'intention de m'épouser ?

— C'est-à-dire que pour une femme comme vous...

— ... Ce qui me conviendrait, c'est un homme noir avec des chaussures très fines, des gilets de laine et des fortes mains pour me frapper ?

— C'est caricatural.

— Peut-être. Mais j'ai besoin d'admirer pour aimer.

— Paraît qu'ils ont des bangalas tout riquiqui, les Blancs. Comment faites-vous pour… ?

— Posez donc la question à toutes ces Africaines qui, depuis des années, passent leurs journées sur internet pour se trouver un mari blanc. Je crains que bientôt en Afrique, il n'y ait plus que des hommes. Vous passerez votre temps à vous contempler le bangala tout seuls…

Le hall était glacé, et je transpirais de rage dans l'ascenseur. J'en avais assez de me faire épingler sur ma vie privée et je ressentais encore sur mes épaules les picotements qu'avait déclenchés ce désir d'écraser le nez de cet homme qui venait de me faire des réflexions aussi stupides. Alors que j'ouvrais la porte de ma chambre, je me sentis seule. J'étais une traîtresse aux yeux des miens, mais j'étais fière de penser que les hommes étaient égaux même si justement ils ne l'étaient pas.

Je m'allongeai sur le lit et, prise d'une impulsion soudaine je téléphonai à François. Mes mains tremblaient. La peur étreignait ma poitrine sans que je comprisse pourquoi. Je fus soulagée d'entendre le déclic d'un répondeur. Je bredouillai un message et raccrochai.

Mais alors que j'avais raccroché, ma peur restait inchangée. Au plus profond de moi, je m'étais toujours sentie utilisée. J'avais la certitude que chacun cristallisait sur moi ses rêves d'amour ou de richesse, de martyre ou d'héroïsme. Utilisée ma force de travail pour nourrir ma ribambelle de famille ; utilisées aussi mes idioties, mes travers, mes coups de gueule, mes faiblesses pour m'anéantir : « Albinos ! » criaillaient les gosses devant mes yeux sensibles qui viraient facilement au rouge. « Bâtarde », murmuraient des adultes, pour me briser. J'avais décidé voilà des années qu'il n'y aurait jamais de négociation autour de mon cœur. Que ma personne intime ne serait jamais l'objet de controverses ou de conflits, d'autant que ma naissance elle-même avait été source de délation.

Je fermai les yeux, posai les mains sur mon

visage pour ne pas l'exposer à la lumière qui avançait par la baie vitrée. Je voulais réfléchir calmement, froidement à ce pourquoi j'étais invitée, mais, sans que je sache pourquoi, j'attendais que François me téléphone. Je ne comprenais ni à cet instant dans cette chambre à la moquette rouge capitonnée, sur ce lit aux draps éclatants, ni les jours suivants pourquoi ce besoin de l'entendre. Je tentais de repousser ce désir en occupant mes pensées. Je contemplais des fleurs rouges au cœur blanc et je songeais qu'il devait m'appeler ; je discutaillais ferme avec un handicapé croisé au bord de la route, et je pensais qu'il devait m'appeler ; on eût dit que des courants entiers de François filaient dans l'espace et déferlaient sur moi. Je le sentis même pousser dans mes cheveux et j'allai me faire un shampooing. J'ignorais alors qu'il avait déjà commencé à moissonner mon cœur.

Il ne me téléphona pas. Tant mieux, me dis-je, en mangeant des tartines beurrées ; tant mieux, me dis-je encore en m'empiffrant de fromage plein de vers, je n'en ai rien à foutre ; j'avalai des salades entières, tant mieux, nous

44

ne sommes pas du même monde ; je me goin-
frai de poulets bicyclettes si pimentés que je
me liquéfiai en diarrhée, tant mieux me dis-je,
qu'il m'efface de sa mémoire.

Je revins à Paris convaincue que François
m'avait oubliée. Je l'avais moi-même enfoui
dans un recoin de mon cerveau que les voix et
les lumières ne pouvaient pas atteindre. J'avais
tant de choses à me remémorer : l'école des
enfants à payer, la facture du téléphone, la lettre
au maire de Pantin, la réunion au club de
réflexion, l'écriture. Je fermerais les fenêtres,
j'irais à des dîners entre copines, j'irais danser
peut-être, puis quand la nuit m'assiégerait, tant
je souffrirais d'insomnie, je prendrais un peu
de camomille avec un cachet de dornomil...
c'est excellent... pour ne pas rêver.

Les voix mielleuses des annonces dans les
haut-parleurs me ramenèrent à la réalité. Çà et
là des gens sont dispersés en bouquets d'inat-
tention. Un avion à rattraper ou des formalités

à faire. Des déchirements. Des rires. Quelques larmes ici. Une embrassade là. Où sont mes bagages, hein ? Qui a volé mes bagages ? Que vais-je devenir sans mes bagages ? Et la folie me prit comme un bouillonnement venu des tréfonds des enfers. Je grommelai, grognai et ronchonnai, tendue, un petit fil de fer. Je tapai des pieds : C'est inadmissible. Je vais porter plainte. J'avançai vers l'accueil et défis le nœud qui comprimait ma gorge.

— Où sont mes bagages ?

— Faites la queue comme tout le monde, m'ordonna d'une voix sèche l'hôtesse.

Qu'elles se ressemblent toutes ces hôtesses, pensai-je, méchamment. Des clones avec leurs chignons parfaitement serrés et leurs yeux à clignotement réduit. Elles ont la même peau pleine d'espoir et doivent toutes avoir un appartement de deux chambres. Je grinçai des dents et tentai d'encamisoler ma folie. Il fallait que je passe l'éponge, la serpillière, le balai. J'interrogeai mon portable afin de gommer ma colère. Une voix me fit sursauter :

— Ici François. Où êtes-vous ? Rappelez-moi. Je n'arrive pas à vous joindre.

Puis encore :

– C'est François. Où êtes-vous ?

– C'est toujours François. Je vous cherche partout.

– C'est encore moi. Pourquoi ne me rappelez-vous pas ?

– Pourquoi ce silence ? Je m'inquiète.

Au fil de ses messages, son ton devient de plus en plus pressé. On dirait qu'il y a une urgence. Qu'il est un militaire en état de siège. Qu'il doit faire sauter une digue qui va changer le cours de l'histoire.

Lorsque je lui téléphone enfin, sa voix fébrilise puis boude, fébrilise encore puis devient chaotique.

Et moi, en Jeanne d'Arc dérisoire, moi qui ne sais que penser aux manifestations pour l'égalité des chances, aux attroupements pour la reconnaissance de l'esclavage comme crime contre l'humanité, aux pétitions contre les injustices, je livre mon ouïe à cet homme qui déjà dessine les clairs de lune où mes a priori et même mon intelligence seront mis en veilleuse.

– Plus de vingt fois je vous ai appelée chaque

jour, hurle-t-il. Vous m'aviez donné un faux numéro.

– Non... J'ai dû oublier de vous donner l'indicatif du pays.

– Où êtes-vous ? Que faites-vous ce soir ? Voulez-vous qu'on dîne ensemble ?

– Bien sûr, bien sûr...

Et si ce que nous appelons vivre n'était qu'une illusion ? À moins qu'inconsciemment j'aie décidé d'en avoir assez d'éluder, de glisser au travers, par-dessus et à côté de l'essentiel.

4

Il pleuvait sur Paris et ce n'était pas une surprise. Dans le taxi qui me ramenait à la maison, les immeubles défilaient et je pensais aux surprises désagréables qui m'attendaient, car ma fille Lou était une drôle de diablesse dont les macaqueries pouvaient me faire hurler de douleur ou pétiller de bonheur. Elle pouvait au cours d'une même journée, tisonner la joie en se conduisant comme la plus gentille des adolescentes ou essuyer sa morve sur mon manteau préféré. Je désirais tant que cette réalité se brise, mais la réalité ne se brise jamais.

Rosa m'attendait devant la porte, les paupières basses d'une qui n'avait pas fermé l'œil. Ses cheveux pagayaient sur sa tête et démontraient clairement que Lou l'avait emmenée à l'extrême pointe du supportable. Dès qu'elle me vit, son cou enfla et elle vomit son angoisse.

– Andela, Andela, Andela, pleurnicha-t-elle. Je suis heureuse que tu sois là. Je n'en peux plus, je suis par terre... Ta fille... Oh, Seigneur ! Quel monstre, quel monstre !

Le monstre justement avait profité de mon absence pour se mettre tout le monde à dos. Elle avait demandé à son professeur de français de fourguer ailleurs son fourniment de bon humaniste, tourné en dérision son professeur de mathématiques et enlisé son professeur de géographie dans l'absurde le plus intolérable.

La cancresse impitoyable était debout devant moi avec ses fesses aussi plates que la paume de ma main. Elle trimballait sa carcasse filiforme en compagnie des jeunes qui se battaient, roulaient par terre, se cabossaient la figure, se cassaient les dents, se frappaient et se refrappaient en s'expédiant des insultes à vous éclater les vertèbres : « Ta mère ! Le cul de ta mère ! Bâtard de ta mère ! »

Elle baissa sa tête révérencieuse, je ne m'y trompai pas, je savais que, sous les paupières mi-closes, la lame de ses yeux me guettait, prête à m'étriper.

– Alors ? demandai-je, mes mains sur les hanches et soufflant comme un bœuf. Qu'as-tu à me dire ?

– Je suis désolée, maman, fit-elle de cette voix qui fait croire aux parents que leurs enfants sont merveilleux.

– Tu me racontes toujours la même chose et pourtant rien ne change.

– Et alors ?

– As-tu l'intention de suivre ou non une bonne scolarité ?

– Qu'est-ce que ça peut foutre, hein ?

– Ça me fout de vouloir que ma fille réussisse sa vie, qu'elle devienne quelqu'un de bien.

– Réussir sa vie, c'est étudier, selon toi ? C'est grâce aux livres qu'on devient respectable, d'après toi ? T'as vraiment des valeurs à chier.

– Tu me parles pas sur ce ton-là.

– Je te parle comme je veux.

– Non, non, non et non ! Pas tant que c'est moi qui paie ta bouffe, tes fringues, ton coiffeur, tes cahiers, tu piges ?

– Je m'en fiche. Je ne t'ai rien demandé,

moi. D'ailleurs, si tu continues à me harceler de la sorte, je fais une fugue.

– Ah oui ?

– Parfaitement.

Il y a certains jours où les parents maudissent le ciel de leur avoir donné leurs merveilleux enfants. J'étais dans ce cas. Une fugue ? Elle me mettait sur un sentier sans issue, sans tracé ni nivellement. Je craquai les doigts, et ils firent le même bruit que des os de poulets crac crac. Mes nerfs étaient aussi tendus que les nervures de feuilles archisèches. Je me penchai jusqu'à avoir mon nez sur le sien et mes yeux globulèrent.

– Suis-moi, ordonnai-je.

– Où veux-tu qu'on aille ?

– Je t'accompagne à la porte.

– Mais…

– Pas de discussion. Dehors !

– Tu me jettes à la rue ?

– Oui. Parfaitement. J'en ai marre qu'une gamine me soumette à ses desiderata. Qui es-tu pour savoir ce qui est bien pour toi ou pas ? Je respirais l'air de ce monde vingt-sept ans avant ta naissance. Je t'ai torchée. Je t'ai langée. Je t'ai bercée. Tu n'as jamais eu faim et tu n'as jamais rien porté de plus lourd que tes jeans et tes baskets que je me gaspille les yeux devant un ordinateur pour pouvoir t'acheter. Qui es-tu pour désapprouver tes professeurs ou te moquer d'eux ? Qui es-tu pour répondre aux gens avec mépris ? Tu sais en réalité ce qu'ils pensent tes profs ? Qu'ils n'ont rien à foutre de ta gueule ! Ils savent qu'ils sont là pour préparer une fraction de leurs élèves aux grandes écoles. Quant aux merdes comme toi, parce que vous n'êtes que cela, toi et tes petits voyous d'amis, ils se disent que s'ils réussissent à vous amener à résoudre des problèmes d'arithmétique du cours élémentaire, ils auront réussi leur mission, tu piges ? Maintenant dehors !

Deux larmes roulèrent sur ses joues. « Pardon, maman. » Elle me ceintura. « Pardon, maman. » Dans les sanglots de ma fille, je percevais sa peur, oui, une peur qui secouait ses épaules pas tout à fait formées. J'étais fière de moi, je venais de gagner une belle partie de poker.

— Va travailler dans ta chambre, dis-je d'une voix qui avait perdu son acidité.

Elle monta les escaliers puis se tourna vers moi.

— Tu m'as dit des choses qui m'ont fait mal, maman.

— Et ton comportement ne me fait pas mal, tu crois ?

Je m'enfonçai dans un bain d'huiles essentielles et je me calmai. Je ne pus empêcher Lou de me rejoindre. Elle se fit une place dans la baignoire à la pousse-toi-que je m'installe. Elle aimait ça, se baigner avec moi, me montrer son corps gracile, son ventre plat, ses muscles longs, tout ce que j'étais il y a tant d'années. Puis de concert nous appliquâmes la crème sur nos visages par petites touches comme le conseillent les magazines féminins, du bas vers le haut, n'oubliez pas le déodorant avant le parfum, puis le maquillage, n'oubliez surtout pas le maquillage, ça peut faire des miracles. Et je me sentais bien, j'allais dîner avec François, je sentais bon, j'étais un poème, je m'étais bien teint les cheveux trois semaines auparavant et cela mettait en valeur mes pommettes hautes.

— Pourquoi tu te maquilles, maman ? me demanda Lou outrée.

— Je sors dîner.

— Pas avec un homme, j'espère.

— C'est interdit ?

— C'est-à-dire que t'as tellement de boulot… Puis, qui va me faire à manger ?

— Toi.

— T'es pas sérieuse, tout de même ! Je ne suis qu'une enfant.

— Mais qui peut sortir jusqu'à deux heures du matin sans avoir peur du grand méchant loup. Terminés les petits déjeuners préparés par maman, le linge lavé et repassé par maman. À partir de maintenant, chacun participe.

— Tu me demandes de payer mon loyer ?

— Tu t'occupes de tes saletés. Ça sera tout comme.

Je virevolte jusque dans ma chambre, enveloppée dans mon drap de bain. J'ouvre ma penderie, choisis une robe verte que j'enfile. Je ne sais pourquoi, lorsque je sors pour héler un taxi, je me sens soudain éthérée, comme descendue du ciel et les souvenirs d'Afrique m'envahissent.

Enfant, mes parents m'avaient exhibée comme une vierge à Babylone : « Andela est vierge à quatorze ans ! » clamait grand-mère après m'avoir fait passer l'épreuve de l'œuf. Et on m'applaudissait. Et on m'admirait : « Re-félicitations ! » Les vieillards suçotaient leurs chicotes : « Elle va coûter deux bœufs, dix cochons et vingt chèvres en dot ! On se régalera ! Re-félicitations ! » Femme, j'avais refusé d'être humiliée par un mari comme une putain. Je voulais être libre, m'assumer au lieu de cuisiner pour un homme jusqu'à m'en écorner les mains : « Quand est-ce que tu te maries, Andela, hein ? » demandaient mes oncles. « Quand est-ce que tu nous permettras de manger et de boire jusqu'à pisser dans nos culottes ? » demandaient mes frères. « Tu me fais honte », disait ma mère. Puis un jour elle conclut : « En réalité, t'es tellement méchante que t'as permis à personne de la famille de profiter de toi. »

Méchante d'avoir refusé de mettre bas une douzaine d'enfants braillards dont la plupart seraient morts avant l'âge de cinq ans. Méchante de m'être taillé un présent loin du passé de ma mère. Méchante parce que, disait-on, qu'est-ce qu'une femme qui ne se mariait pas dans les règles de la tradition ? Un caca-chien.

Là dans la rue, Je me sentis différente des autres, puissante, comme si je venais de triompher de quelque chose. Mballa, une femme avec des cheveux emmêlés sur la tête et qui vivait dans une de ces petites maisons de banlieue à la pelouse verte, une de ces petites maisons qui donnait à croire aux pauvres qu'ils avaient quand même réussi leur vie, m'interpella.

— T'es bien belle, Andela. Où tu vas comme ça ?

— M'exposer, répondis-je. Il paraît qu'une femme ne doit jamais rester enfermée, sinon elle perd toutes ses chances.

— Tu fais bien. Moi aussi autrefois...

Elle se mordit violemment les lèvres. Sans doute pensait-elle à la dissymétrie de ses seins, aux cors sous ses pieds, aux duvets sous ses aisselles ? C'était donc quand la dernière fois où elle s'était fait du bien ? Depuis combien d'années ne s'était-elle allongée sur un lit qui s'y connaissait en plaisir ?

– Bon, il faut que je parte, ajouta-t-elle en s'éloignant d'un pas décidé.

Elle me parut soudain grossière et triste, si grossière et si tristement pressée d'aller retrouver la monotonie de sa vie qu'il me sembla pas si mal de me livrer au sort que me réservait François, qu'il fût bon ou mauvais.

Il me prend par le bras pour me guider vers un coin discret du restaurant. Il tire pour moi une chaise et chacun de ses gestes claironne qu'il n'appartient pas au monde des gens ordinaires, mais à celui dans lequel la réussite sociale est le centre, et les autres de simples satellites destinés à illuminer le pic de leur grandeur professionnelle. Il n'est pas de ces hommes qui vivent pour les femmes bien qu'ils plaisent aux femmes ; il est de ceux qui n'ont pas de temps à perdre pour les emmener danser, leur offrir des petits cadeaux, foulards, fleurs ou diamants. Il me le fait comprendre d'entrée de jeu : « J'ai le nez dans le guidon depuis quarante ans. Sans doute parce que j'étais un cancre. J'en suis resté traumatisé. Et depuis j'essaie de rattraper les études perdues. Je me shoote au boulot, j'entasse, je produis des émissions, des concerts, des films, tout ce qui brille au soleil. »

L'odeur de l'argent remontait de chaque table où des femmes aux décolletés profonds expédiaient des cauris de rire. De temps à autre, l'une d'elles s'en allait aux toilettes en laissant derrière elle des volutes de parfum aussi entêtantes que les ailes des papillons tropicaux. Les hommes costumés et guindés violonisaient. J'imaginais les mensonges qu'ils se racontaient, les contrevérités qu'ils se servaient pour la bonne baise ou la bonne cause. Et toujours ces éclats de rire idiots qui me donnaient l'impression de me trouver dans un opéra-comique.

Le repas est somptueux, des fruits de mer, servis en étage. Au fur et à mesure que François mange, les mots montent sur ses lèvres telle une marée. Mais je remarque qu'il a toujours ce regard qui ne se pose pas sur les choses ou sur les gens, ce regard tourné en son dedans si caractéristique des vaincus ou des égocentriques.

— J'ai commencé à travailler à vingt ans. C'était en mille neuf cent soixante-cinq. Vous n'étiez pas née.

— Je suis un peu plus âgée que j'en ai l'air, dis-je.

— Oui, vous les Noirs, avez une peau exceptionnelle. On n'arrive pas à vous donner un âge.

— C'est parce que les Blancs ne nous regardent que deux fois dans leur vie : la première fois quand on est domestique chez leurs parents et qu'on les lange ; la deuxième fois lorsqu'ils sont vieux et que des gardes-malades noirs viennent encore les torcher. Mais rassurez-vous, nous vieillissons comme tout le monde.

Je débitai ces propos d'un ton de délire sec, alors que je portais la bosse de l'histoire. Je pensais aux difficultés des Africains à survivre en Occident, mais les chassai de mon esprit. J'avais décidé d'accoster pour quelques heures dans des baies aux eaux turquoise où il n'y avait pas l'ombre d'un requin.

— Pardonnez-moi, dit François. Je suis un

vrai goujat et vous une merveille d'humour et de lucidité. À cette époque, il n'y avait qu'une chaîne de télévision. C'était une télévision étatique avec des fonctionnaires aux ordres et à petit salaire.

— Je peux l'imaginer d'autant plus aisément qu'en Afrique, nous en sommes encore à la télévision Bongo, Biya Eyadema, etc.

— Aujourd'hui, les salaires des stars de la télévision s'affichent au box-office comme ceux des chanteurs, dit François furieux — et j'appréciai son sens de l'équité. C'est scandaleux — et j'applaudis son courage. D'autant plus scandaleux, continua-t-il, que c'est le métier de l'éphémère. Une star de télévision ne laisse aucune trace derrière elle.

Ces paroles ciselées me séduisirent tant que je restai engluée dans une admiration de groupie. Quel homme juste et bon, me dis-je. Quelle belle humanité, me dis-je encore. Mes sens s'ouvraient comme des soupiraux ; j'expulsai mes réticences et n'entendis dorénavant que la mélodie des justes qui fustigeaient les inégalités et les exclusions. En parfait gentleman, il distillait sa grandeur d'âme avec beaucoup d'humilité : « Si j'avais été riche », disait-il… Et il citait ses confrères richissimes qui ne nourrissaient que leur nombril. Untel avait de l'argent par wagons entiers, mais préférait s'encanailler au lieu d'en donner quelques miettes aux pauvres. Quand il en eut assez de malmener l'égoïsme des producteurs-animateurs, il s'abandonna en bribes de confidences, en bouts de confessions, en fragments d'aveux, un peu comme une femme dont le vent, par rafales, soulève peu à peu la robe.

— Je suis officiellement marié, me dit-il. Mais j'ai toujours vécu comme un célibataire.

— Vous avez bien de la chance d'avoir une épouse aussi compréhensive. Moi…

— Que feriez-vous si vous aviez un mari comme moi ?

Je sentis monter en moi une vague d'agressivité qui tortura mes nerfs. Laisser mon mari manger à toutes les marmites ? Autant crever. Je lui brûlerais la queue et jouerais au basket avec ses couilles ! Je lui concocterais tant de putasseries et de saletés que la maison de la sorcière d'Ebolowa à côté ressemblerait à un paradis ! Je lui étranglerais la cervelle et la lui ferais manger avec une sauce aux piments ! Je lui rendrais l'air si irrespirable qu'il vivrait de puanteur jusqu'à ce que mort s'ensuive ! Je me délecterais à le regarder crever et danserais sur son corps ! Je ne lui dis rien, car je compris qu'il appartenait à un monde où des femmes racontent que leurs maris sont en déplacement lorsqu'ils sont en cavale ; où la femme répudiée ferme sa gueule, mais s'assoit avec suffisamment de raideur pour que l'on ressente le poids de son indignation ; où l'on pactise avec l'argent, le diable, n'importe quoi, pourvu que personne ne signale la présence de l'éléphant dans la maison.

— Rien, dis-je. Je ne ferais rien.

— Ah, vous voyez ? Vous n'auriez aucun moyen d'action.

— Je n'ai pas dit ça, fis-je mystérieusement.

— De toute façon, l'homme cherche ailleurs ce qu'il ne trouve pas chez lui. Mon épouse aime les animaux.

— Savez-vous que dans les cultures africaines, on se méfie énormément des gens qui aiment trop les animaux ?

— Pourquoi ?

– Parce qu'ils n'aiment pas les humains, voilà pourquoi.

Il resta perplexe l'espace d'une seconde. Peut-être méditait-il ? Sa vie n'était pas désagréable, semblait dire le tressaillement de ses paupières broussailleuses. Elle unissait même, à un certain confort, un luxe certain.

– Ma femme ne m'a jamais rien demandé d'autre que de ramener des bonnes notes et les autres femmes m'ont prêté leurs fesses comme des copines, c'est tout.

Je sentis combien son corps était parcheminé de solitude, mais je me dis que c'était son choix. Qu'il méritait cet isolement dans lequel on finit par mariner à force d'éviter engagements et sentiments forts ; qu'il méritait cette désaffection humaine qu'on subit lorsqu'on ne demande à la vie que d'en savoir le moins possible.

– Et l'amour ?

– J'aime mon métier. Et vous ?

– Moi aussi, mais par moments, j'aimerais qu'il nourrisse un peu plus son homme.

– Je ne suis pas un homme d'argent.

– Ah oui ?

Il paya l'addition et laissa un euro de pour-
boire.

Nous avons quitté le restaurant et marché sur
les trottoirs déserts. Au-dessus de nos têtes, une
lune fantasme à s'éclater le ventre. Nos épaules
se frôlent et nous tournons en rond, sans gou-
vernail. « Je vous accompagne à la station de
taxi », puis : « Raccompagnez-moi à ma voiture. » Puis encore : « La station est trop loin, je
vous accompagne. » De temps à autre, nous
nous regardons et le désir danse dans nos yeux.
Puis on déplace nos regards vers le ciel pour
qu'il nous sauve, mais de quoi ?
— Je ne sais pas ce qu'il m'arrive, ce qui nous
arrive, dit-il soudain.
— À votre âge ?
— Je suis un tardif qui a commencé tôt. Il
n'est pas étonnant qu'à plus de soixante ans
j'éprouve mon premier émoi amoureux.
— Vous êtes vierge, alors ? demandai-je,
moqueuse, car je sais qu'à soixante ans et des
poussières, la plupart des hommes ont un passé
qui s'accumule sous leurs tempes. Qu'il y a

dans leurs souvenirs des galeries où l'on peut contempler des femmes à s'en épuiser les yeux. Que dans le grenier de leur mémoire, on trouve des féministes suédoises aux décolletés si profonds qu'ils donnent des rêves mouillés aux bébés. Qu'on y déniche des Indiennes flottant dans des saris arc-en-ciel et des Africaines dont les derrières matelassés sont des appels à un feu de brousse.

— Je vous aime, Andela... et vous ?

Dans un conte de fées, on se serait marié. On aurait eu beaucoup d'enfants qui auraient œdipé et nous auraient fait frémir d'inquiétude. On aurait occulté les sévices conjugaux dans un mauvais silence. On aurait composé avec les ruses de ceux qui ne s'aiment plus et les comédies sentimentales des vieux amants qui ont résisté à toutes les tempêtes... Jusqu'à ce que la mort nous sépare : « À mon très regretté époux. » Mais il n'en sera pas ainsi. Dans la vraie vie, le temps écorne l'amour jusqu'à la désalliance.

5

« Fais attention », me dit la Rosa dès le lendemain en me voyant expédier des cascades de
rire sans cause et frétiller tel un poisson dans
l'huile chaude.

— T'inquiète, lui rétorquai-je. Je ne le laisse-
rai pas me bouffer. Ma chair est amère. Aucun
porte-couilles n'a jamais réussi à me manger.
Heureusement ! Sinon... Ils auraient tout
bouffé, les cannibales !

— Oui, mais je suis quand même inquiète.

— Un homme ne me mettra jamais dos au
mur, vu ?

— Si tu le dis, fit-elle en tordant violemment
la serpillière dans ses mains, parce que Rosa
était une escroquée du cœur, qui à cinquante
ans attendait toujours que Kassi, son grand
amour, s'assagisse et l'épouse enfin. Elle me jeta

un regard de travers et son front n'exprima que dégoût :

— Nos frères noirs ne savent pas aimer, fit-elle. Les Blancs aiment mieux.

— Oh, les tribunaux sont remplis d'histoires sordides chez les Blancs aussi.

— Peux-tu me dire pourquoi nos hommes sont-ils si infidèles ?

— François est marié. Il est blanc. C'est pas une question de couleur de peau, ma chère.

— Mais il t'a dit qu'il ne touche plus sa femme, qu'il ne l'aime plus. Qu'elle est devenue sa maman.

— Oui. Mais en vérité, je ne veux rien savoir d'elle. Quand un homme tombe amoureux d'une autre femme, cela signifie...

— Qu'il n'aime plus sa femme ou qu'il a envie d'aller baiser ailleurs. Dans tous les cas, il faut s'en méfier.

— Pourquoi ?

— S'il vit avec sa femme-maman, cela signifie qu'il n'est plus un homme-lion ou un homme tigre, tu piges ?

— Je ne comprends pas.

— Ah, vous les intellectuels ! Ah, vous les

longs crayons ! Il faut toujours tout vous expliquer.

Elle frappa ses mains l'une contre l'autre, se pencha jusqu'à avoir sa bouche collée contre mes oreilles et souffla :

— Ça veut dire qu'il n'a plus de canines, plus de griffes, tu piges ? Il est devenu un chat d'appartement qui ronronne autour de la dompteuse casanière, boit son bol de lait et dort dans sa litière. C'est plus clair comme ça ?

— Ouais… Mais peut-être qu'il veut s'enfuir, prendre le maquis ? Il m'a expédié quatre textos depuis hier soir.

— Hémalé, Andela ! s'extasia-t-elle. Tu veux bien me les lire, s'il te plaît ? Ça doit être si beau !

Comédienne plus qu'un chimpanzé, elle lâcha serpillière, balai, mit la bouilloire sur le feu et prépara un thé : « Attends que je m'assoie avant de commencer ta lecture. » Mais lorsque ma voix s'éleva, les épaules de la Rosa s'affaissèrent, ses yeux se liquéfièrent, puis quelque de chose de doux nous traversa.

François : J'ai envie de faire ce voyage. Et toi ?

Andela : Moi aussi. Mais j'ai peur.

Puis :

François : C'est curieux. Tu me manques. Ta voix grave et sensuelle résonne en moi, c'est étrange ! Je t'embrasse.

Andela : Moi aussi, mais j'ai peur.

Puis :

François : Tu es si belle, si intelligente ! Qu'ai-je à t'offrir ? Je pense à toi et mon cœur s'accélère.

Andela : J'ai peur.

Puis :

François : Veux-tu dîner avec moi ce soir ? Tu me manques. Je t'embrasse.

Andela : Avec plaisir. J'ai peur.

Rose s'émietta de petits rires. Toutes les rides de son visage, ces sillons creusés d'un soleil à l'autre, souriaient.

— C'est joli. Vraiment. Qu'est-ce que j'aurais aimé écrire des poèmes. Si j'avais écouté ma mère, j'aurais été un écrivain comme toi, j'aurais écrit des poèmes, mon nom serait sorti dans les journaux, j'aurais eu des tonnes d'admirateurs, ils m'auraient invitée à des dîners, m'auraient offert des roses rouges, j'aurais bu en leur com-

pagnie du champagne dans des coupes scintil-
lantes, ils m'auraient envoyé des poèmes comme
ceux que tu as reçus et Kassi m'aurait aimée.

Il me fallut du temps pour m'apercevoir que
de sa gorge sortaient des râles aussi heurtés
qu'un tuyau d'échappement. Elle pleurait, ma
Rosa, elle pleurait, abîmant l'atmosphère d'une
pincée d'amertume.

— Tu rencontreras toi aussi quelqu'un, lui
dis-je, en caressant ses mains boudinées.

— Que Dieu t'entende, Andela. Inch Allah !
Mais fais attention. Un homme qui n'est plus
un homme-lion, un tigre…

— Faut que j'aille me reposer. Je dois être au
mieux de ma forme ce soir, dis-je, en lui lan-
çant un clin d'œil.

Je m'allonge sur le lit, ferme les yeux, mais la
crainte de ne pas être à l'heure à mon rendez-
vous me tient éveillée. J'allume une cigarette et
la fumée s'élève, s'emmêle à mes cheveux si noirs
qu'ils en sont bleus. D'une main, je chasse une
mèche sur mon front, de l'autre, j'ai la prétention de calmer les battements de mon cœur.

Mais des mots cognent et voltigent dans l'air comme une mouche à merde zzzzzzz, emplissent mes oreilles. Je compte mentalement : électricité 150 euros ; téléphone 80 euros ; eau 65 euros. Et si je l'invitais à mon tour ? Aime-t-il le poulet à la sauce d'arachide ? Ah ! si seulement j'avais un porc-épic ! Il adorerait.

— Tu sais quoi, Rosa ?

— Je sais, je sais, répond Rosa depuis le salon. Que tu l'aimes. Que tu ne peux pas te marier avec lui, puisqu'il l'est déjà.

— T'as raison.

— Ni avoir des enfants.

— T'as raison.

— L'amour a besoin de soleil, ma chère.

— Je ne suis pas une femme que l'on cache. Ça, il a déjà dû le comprendre.

— Comment va-t-il faire ? Attends. On sonne. Je vais ouvrir. J'arrive ! J'arrive !

Ses gros pieds raclent le plancher. Sa voix tinte comme une clochette dans les bois : « T'attends quelqu'un, Andela ? » Puis je ne l'entends plus. Un chat miaule quelque part, comme ça me sécurise un chat qui miaule. Par la fenêtre, j'aperçois la bouillie d'une pelouse non tondue et un chien qui y pisse.

— Quelqu'un t'a envoyé des fleurs, Andela, hurle Rosa essoufflée. C'est des roses blanches. Elles sont magnifiques. Il y a une lettre ! Une lettre !

Le rythme de mon ventre rétrograde jusqu'à l'enfance. J'ai envie de jeter dans l'air une salve de cris pour dire ma plénitude et les oiseaux participent à la célébration de cette cérémonie prénuptiale dont j'ignore le programme. Je cours au salon irradiée de joie.

— Lis-nous ça vite ! dit Rosa en chancelant presque, s'accrochant à mon bras pour forcer mes mains à ouvrir l'enveloppe. Qu'est-ce qu'il dit ?

— Acceptes-tu d'avancer notre rendez-vous ? J'ai si hâte de te revoir ! Je t'embrasse.

— Qu'est-ce qui se passe ici ? demande Lou en entrant brusquement dans la pièce sans qu'on l'ait entendue venir. Qui t'embrasse, hein, maman ?

— Personne.

— Tu me prends pour une conne ? demande-t-elle en minaudant.

Elle ôte son blouson qu'elle jette sur le canapé, puis elle envoie choir ses baskets sous la table.

— Qu'est-ce qu'on mange ce soir ?

— Je ne suis pas là ce soir, dis-je. Rosa s'occupera de toi.

— Est-ce que tu sais que l'absence des parents est la cause essentielle de l'échec scolaire des enfants ?

— Je ne vais pas culpabiliser, Lou. J'ai toujours été présente. Tu n'es pas pour autant un modèle de réussite.

— Je ne suis pas un bon exemple.

— Tu me rassures.

Et elle s'assied sur une chaise, balance d'avant en arrière.

— Ne te balance pas ainsi sur la chaise ! Tu veux vraiment la casser ? On dirait.

— Pardon, maman !

Puis elle sort de sa bouche un chewing-gum qu'elle colle sur le dossier.

— J'ai été collée aujourd'hui.

Je ne réponds pas. Je n'ai pas envie de commencer ma soirée dans le ré majeur d'une musique torturante, faite d'insolence, de mo-

querie et d'agressivité. Je ne réponds pas. Je
prends garde à où je mets les pieds. Le terrain
est piégé, si miné que lorsque je grimpe
les escaliers, Lou explose en hypocrite accom-
plie.

— Tu m'as dit que tu sortais avec qui ce soir
maman ?

— Je ne t'ai rien dit du tout. D'ailleurs, il ne
t'intéresserait pas.

— Vu comment tu te fringues, ça ne
m'étonne pas.

— Merci, dis-je, coupant court.

Il faut comprendre : Lou a une vision apo-
calyptique de l'univers des adultes. Pour elle,
je suis une ringarde. Une caporale coincée du
cerveau et des fesses. Une adjudante à la voix
de chanteuse de blues qui empoisonne son existence en lui faisant subir le service scolaire obli-
gatoire... Quant à François, puisqu'il n'est ni
rappeur ni footballeur, il ne peut être à ses yeux
qu'un looser. Il est trop bien habillé pour
qu'elle le respecte ; il est trop poli pour qu'elle
l'estime. Même s'il lui prenait de jouer les
Kommandantur, cela aurait sur ma fille autant
d'effet qu'un pet de cafard. Je me protège

d'elle, en protégeant mon secret. Depuis plus d'un an, je ne reconnais plus ma fille, je ne me reconnais plus. Par le passé nous partagions des petits riens qui étoilaient nos yeux. Aujourd'hui, elle me mène une guerre sans merci et, dès que je le peux, je me sauve à toutes jambes de ce champ de bataille permanent où je sors souvent vaincue.

Quand j'entre au restaurant, le chien de François est couché à ses pieds. C'est un chien aux yeux profonds qui ronfle en dormant et parfois gémit dans ses rêves. François téléphone, déverse les intrigues politiques, les menus services entre ennemis, ascenseurs à renvoyer ou à rappeler, taux d'audience qui lui donnent à croire qu'il fait partie des grands de ce petit monde.

Dès qu'il me voit, il raccroche, puis m'adresse un sourire plein de cette tendresse restée en état de friche.

— Je n'ai cessé de penser à toi. J'ai envie de me montrer avec toi, que le monde entier sache que je t'aime. Peux-tu m'expliquer ce qui m'arrive, à moi dont l'autre nom est prudence ?

Ses mains tremblent en saisissant la mienne ; sa bouche tressaille. Je le laisse démâter dans le vent de sa tempête intérieure. Je le regarde s'enliser dans une matière sans nom faite de méfiance et d'envie, d'inquiétude et de désir.

— Mon père nous a toujours dit que l'amour n'a aucune importance dans la vie. Seule la réussite compte.

— Aimes-tu ta femme ?

Il reste aussi inerte qu'un gâteau de semoule, puis quelques tics nerveux envahissent son visage. Sa paupière gauche se relève, comme si seul cet œil est capable d'accepter la vérité

— J'ai beaucoup de tendresse pour elle, dit-il d'une voix atone. Elle a toujours été cette présence encourageante qui m'a permis de mener à bien mon projet, d'atteindre mes objectifs.

— Et l'amour ? insisté-je.

— Je ne me suis jamais posé la question en ces termes. Un jour, j'ai rencontré une femme divorcée, mère d'un petit garçon de cinq ans. Une famille toute faite, quoi ! Je l'ai épousée parce que j'avais besoin d'un équilibre familial, émotionnel, pour réussir la passion de ma vie qu'est la télévision. Et je ne me suis pas trompé.

Des bouquets de nuages passèrent dans ma tête. De bouche d'homme, je n'avais jamais entendu un commentaire aussi mercantile du mariage. On eût dit qu'il avait été faire ses courses au supermarché des épousailles, qu'il y avait acheté un produit utile. Il ne me parla pas de bonheur ou de haine, ni même de ces éclairs d'orage qui traversent le corps de ceux que l'amour foudroie.

— Alors, tu as tout pour être un homme heureux, lançai-je, pour dire quelque chose.

— Elle ne me demande rien d'autre que de travailler, répéta-t-il.

Un ange est passé et un grand silence s'est installé. Il a fait tournoyer son alliance, comme désorienté. Je me dis qu'il ne doit pas compter sur moi pour ses réussites et paillettes. Que je ne suis pas une femme-caisse-enregistreuse, une femme-comptable, une femme-banquière, une femme-calculette. Que je ne vais pas ajouter des lampions à son habit de lumière médiatique et à sa reconnaissance de paillettes. Je

veux être pour lui la flûte enchantée qui caril-
lonne les délices de l'univers. Ou rien.

— Qu'est-ce qui m'arrive ? se demande-t-il à
nouveau.

Je sens en lui une trouille qui ne se domine
pas. Il sait sans qu'un mot soit prononcé que
j'ai une trop grande idée de l'amour pour com-
poser avec des ruses de vaincu et des simagrées
de maîtresse.

— Lorsqu'un poisson étouffe, il cherche la
rivière, dis-je.

— Ce qui signifie ?

Je me compose une mine pour lui faire res-
sentir tout ce que je ne veux pas lui dire.

— Que vous n'êtes que cela : un homme. Un
homme tout simplement.

On se regarde et soudain des étoiles se sont
éparpillées en volée lumineuse autour de nous.
Je sens que nous sommes déjà déréglés et
absents de notre vie d'avant. D'ailleurs autour
de nous, tout me semble fragmenté : le dos
costumé des hommes, les luminaires au plafond, les appliques, la moquette, les visages
maquillés des femmes embijoutées, tout se
décompose, plus rien n'appartient plus à per-

sonne, tout est en morceaux, éclats des gens, éclats de lumière, éclats de peaux blanches ou noires. Le monde s'amenuise et nous sommes les seuls légataires universels de ce qui en reste.

— Il est temps de partir, dis-je… et je regarde ma montre.

— Tu me déposes ? Je n'ai pas ma voiture. Ah, si Michelle me voyait !

— Qui c'est, Michelle ?

— Ma coproductrice. Nous travaillons ensemble, née le même jour, la même année. C'est elle qui fait les montages de mes émissions.

6

La ville grouille de gens tandis que voitures et noctambules expédient un même scandale de bruit. Nous marchons, un deux, un deux, suis-moi, mon amour, bonne petite chèvre, va, va, grimpe, grimpe et quelques frôlers des mains nous permettent de chaparder déjà des bribes de connivence et d'harmonie. Quel bonheur ! D'où ça vient ? Je n'en sais trop rien, car en vérité, mes propres observations et analyses n'ont pu en révéler ni la source, ni l'identité. Peut-être le grattoir du temps nous a-t-il pris en étau, nous obligeant à séparer le vrai de l'ivraie ? Peut-être en avions-nous assez de ce long temps de désalliance avec une partie de nous ? Peut-être voulions-nous brûler dans l'enfer de la passion ? Peut-être étions-nous victimes d'un brusque galop des démons de midi ?

« Mais c'est François Ackerman ! crient çà et là quelques égarés. Un autographe s'il vous plaît ! » Je fais mine de m'éloigner, mais ses yeux me rivent à ses côtés. Ensuite, il me prend la main et tout le monde est secoué d'effroi.

Puis on roule en silence, parce qu'on sait que les mots rapidement prononcés sont des avortons de la pensée. Les roues surpiquent le macadam et les phares de l'automobile arrachent des morceaux de vie à l'obscurité. Dents de chien déchiquetez mes chairs ! Gueule de loup, lacère-moi, par pitié, pitié pitié ! Mangeur de femmes, entraîne-moi dans ton antre... Fais craquer mes vertèbres ! Alléluia !

– Arrête-toi là, me dit soudain François.

– Où ?

– Là, là...

J'ai stoppé la voiture devant un immeuble à côté d'un square. Il a posé ses mains sur les miennes, des mains aussi douces qu'une feuille de bananier gorgée de sève. Comment peut-on aimer un toucher à ce point ? Dans le silence de la nuit, une rumeur souffle que l'amour a touché deux nouvelles cibles. Flippe, flippe, petite agnelle, flippe, je vais te briser les os, tant pis pour toi… J'ai endossé la robe d'une petite fille. Je lui ai dit que j'avais mal au dos. Qu'il faisait trop froid alors que Noël est encore loin. Que je ne pouvais pas supporter ce froid ni ce vent qui pourchassent de gros nuages. Il s'est enthousiasmé, m'a regardée dans les yeux et brusquement, ses lèvres ont brisé mes macaqueries. Sa langue feuillette ma bouche et, si ses mains tremblent, c'est parce qu'il a perçu ses inquiétudes dans le réseau de ses nerfs. Ah, ces mains douces qui flirtent avec les rondeurs de mes hanches, caressent le bout de mes seins et m'entraînent au-delà de la matière, au-delà de l'énergie, au-delà de la pensée. Tu vois ? Je ne vois pas, je sens, c'est tout. Ça là aussi ? Quoi ? Cette lumière ? La vois-tu, mon amour ? Oui ! Oui ! C'est tout.

– Ouvrez ! Ouvrez !

– Mon amour ?…

– Quoi ?

– La police.

– C'est interdit d'aimer ?

Une traînée de flics tourbillonne autour de la voiture, relève la plaque d'immatriculation, téléphone à la Centrale, puis demande : « Vos papiers, Monsieuretdame. » Ils torchent nos visages, j'ai honte, si honte que si je mens, que j'aille bouillir en enfer. François est rouge et dégage une odeur de trouille blanche. Ses mains fébrilisent, honteuses de la honte qu'il inspire. Il voudrait prendre la poudre d'escampette, se retrouver à Jarnailles à condition qu'on dise que c'est quelqu'un d'autre et pas lui qu'on a surpris baignant dans l'opulence de l'amour. Il se mordille les lèvres, baisse la tête quand soudain un policier dit :

— Pouvez-vous me faire un autographe pour mon père ? Il vous adore !

— Moi aussi je voudrais un autographe pour ma femme, dit un autre. Elle ne rate jamais une de vos émissions.

— Moi aussi… C'est pour mon fils. Quand il saura que je vous ai rencontré !

Seigneur, il faut voir ça de ses propres yeux pour y croire. François revêt des ailes d'ange. Il est auréolé de lumière et le Christ à côté n'est qu'un pauvre pécheur. C'est pas des mots qui sortent de sa bouche, mais de l'hostie que lampe religieusement la flicaille. Qu'ils sont contents de leurs autographes ! Ils trépignent. Ils tournoient telles des mouches autour d'un morceau de viande. Ils en oublient les voleurs à cadenasser, les assassins à guillotiner, les chauffards à pénaliser. François donne la patte à gauche, micmic à droite, ça ne s'oublie pas le cirque après quarante ans de bons et loyaux services : « Si vous voulez assister à l'enregistrement d'une de mes émissions, vous êtes les bienvenus ! – Bien sûr, avec plaisir ! » Applaudissements. Fin du premier acte. Ils pourront toujours attendre les invitations qui ne viendront pas. Il en est ainsi depuis la nuit des temps : les promesses n'engagent que les imbéciles.

Lorsque nous avons repris la route, François est comme un dont l'état mental est perturbé. En dépit de l'obscurité, je peux l'entendre réfléchir sur les conséquences de notre histoire. Quand il a fini de faire le bilan positif et négatif de celle-ci, qu'il l'a archivé dans sa mémoire, il s'est tourné vers moi :

– J'espère que cet épisode ne filtrera pas dans la presse.

Il plisse ses lèvres, puis ajoute d'une voix à jeter du caviar par la fenêtre :

— Je m'en fiche... Je m'en contrefiche... Je t'aime, Andela... Je t'aime...

J'ai déposé François dans un ces quartiers hautains où des gens vivent dans des parcs privés et se font admirer de loin par la populace. Il a eu du mal à me quitter comme si, en s'éloignant, il allait se déboussoler et perdre le nord. Il a inspiré plusieurs fois pour retrouver un quiproquo d'équilibre. Puis, il est parti retrouver son bocal de petit mari tranquille. « Ça ne l'intéresse pas le sexe, ma femme, me dira-t-il plus tard. Elle préfère dormir avec ses chats qu'avec moi. » Oui, mon amour s'en va dans son ménage où il ne se passe rien, mais que les bons parlers érigent en couple mythique. Je le regarde s'en aller, clopant-clopin, se retournant pour faire des grands signes d'adieu. Et ça se voit qu'il roule à l'économie. Ça se voit qu'à ses rares moments de lucidité, il compte les années qui lui restent avant la dernière émission. Puis je me dis : je ressusciterai l'homme-tigre. Puis je me dis : je ranimerai l'homme-lion. Puis je me dis encore : ça doit être doux les canines d'un homme panthère dans ma chair. Oui il va plonger ses griffes dans mon sang avant de m'expédier en enfer, amen !

Je trouve Rosa assise dans les escaliers, une main soutenant ses joues comme au deuil d'une mère. Sa grande jupe noire fait des plissures entre ses énormes cuisses. On dirait une montagne de cendre tapie dans l'obscurité.

— Qu'est-ce que tu fais là dehors ? demandé-je en la sortant de son hébétude. Tu risques d'attraper la crève, toi.

La ride sur son front est devenue plus profonde. Sans se retourner elle m'indique la porte de la maison comme si au-delà, se cachait un nid de frelons.

— Qui est mort ?

Elle hausse ses épaules.

— Je suis par terre, Andela, dit-elle d'une voix épuisée. Ne me laisse plus seule avec Lou. Non, non et non ! J'ai accouché, gardé les enfants des autres, vu en grandir d'autres, mais une comme ta fille, du jamais-vu, tu m'entends ? Du-jamais-vu !

J'ouvre la porte et pense que Satan a convo-

qué tous ses adeptes à un gigantesque gueule-
ton chez moi. Mon salon est en déraison. Des
dizaines d'adolescents sont dispersés dans le
moindre recoin et leurs corps trépignent.
L'odeur de l'alcool et du hasch imprègne le
tout. Ils partent en éclats de rire, dansent,
dansent, et la voix de Jennifer Lopez donne
tessiture à leurs conversations qui sans cette
parasitose n'aurait aucun sens. Certains se pensent beaux avec leurs cheveux rouges tels les
culs de gorille ; d'autres se croient branchés
avec leurs ongles jaunes et leurs piercings à faire
peur. Des filles au jean informe et au ventre à
l'air secouent leurs fesses devant les garçons qui
n'ont plus qu'à regarder leurs baskets.

« Lou ! » hurlé-je, et je touche mon cœur
pour m'assurer qu'il continue à battre. « Lou ! »
Mes talons résonnent. « Lou ! » J'ai l'impression que les piliers du ciel me sont tombés sur
la tête. « Lou ! » Et elle tarde à répondre la sale
gamine. « Lou ! »

D'un bond, je l'attrape par le collet :

– Comment oses-tu, hein ? Quand est-ce
que tu vas apprendre le respect, hein ?

Instinctivement ses amis se figent. Ils nous

regardent comme ahuris, puis foncent vers la porte.

— Que personne ne bouge ! je crie. Le premier d'entre vous qui quitte cette baraque, je porte plainte contre lui pour violation de domicile.

— Oh oh ! hurlent-ils, outrés. C'est Lou qui nous a invités.

— C'est pas chez Lou ici, dis-je. C'est chez moi. Vous êtes en effraction.

— Mais, madame...

— Si vous discutez, j'appelle la police.

— Mais, madame...

— Avant de sortir d'ici, vous allez, tous autant que vous êtes, nettoyer ma maison et la laisser aussi propre que lorsque vous avez foutu vos Adidas puants chez moi.

— Oui, madame. Bien sûr, madame. À vos ordres, madame. Lou, où est le seau ? Où est la serpillière ? Où est le balai ?

Je les laisse s'activer et file dans ma chambre. Ils chantonnent en nettoyant et je m'allonge sur le lit. Ils rient, se bousculent et mes yeux fixent le plafond où une araignée stupide tisse sa toile. Jusqu'à quand Seigneur aurai-je à supporter ces tracasseries ? Colère et angoisse écorchent ma poitrine. Ce n'est rien, me dis-je. D'autres femmes connaissent ce calvaire... C'est pas si grave que ça... Ma mère a connu ça... C'est impossible que ma mère ait connu ça. D'aussi loin que je m'en souvienne, je n'ai jamais été aussi désobéissante, aussi insoumise, aussi cabocharde. Quel démon, quel esprit maléfique a donc pris possession de l'âme de ma fille ? Il faut que je l'expédie en Afrique pour une séance de désenvoûtement. Elle a besoin d'un lavage de cerveau. J'en suis à ce stade de mes réflexions lorsque la sonnerie du portable m'apporte la voix de François, sa voix aussi sucrée qu'un pied de canne.

— Je t'aime, me dit-il. Tu me manques.

— Tu me manques aussi.

— Tu sens si bon ! Je ferme les yeux et tu es à mes côtés. J'ai envie de te prendre dans mes bras, de passer lentement mes mains entre tes cuisses. Que m'arrive-t-il ?

— ...

— Tu m'écoutes, Andela ?

— Oui, bien sûr.

— Tu me sembles préoccupée.

— Non. Non... Que si... Mais c'est pas grave.

Mon destin de mère m'accable et je ne peux lui jeter à la figure ce que mon cerveau baratte. François ne comprendrait pas, ne comprendra jamais, lui qui a tracé son sillon, ce que c'est que de réagir au coup par coup face à une adolescente ingouvernable.

— Veux-tu qu'on se voie demain ? me demande-t-il. J'ai envie de te voir chaque jour, tu comprends ?

— Oui, bien sûr.

Cette nuit-là, je n'eus pas de déception à archiver malgré le comportement de Lou. Je récitai quelques oraisons : Merci, Seigneur, de m'envoyer un chat d'appartement ! Merci, Seigneur, de m'expédier un rat de laboratoire ! Merci, Roi des cieux ! Je sais que tu aideras ton improbable sainte Andela à transmuer cet animal domestique en lion, en guépard, en léopard. Parce que tu connais les besoins de ta servante mieux qu'elle-même. Bonne nuit, mon Dieu. Dors bien.

Cette nuit-là, François lâcha plein de mots moelleux sur mon portable, avec de pleines pages de je t'aime, je t'aime, des te quiero, te quiero, des ma ding woa, ma ding woa, I love you, I love you. Oui, deux années durant lesquelles il m'expédia des kilomètres de je t'aime en textos, et des je t'aime soufflés recta dans mes oreilles. Oui, je t'aime balancé sur mes flancs. Je t'aime égaré dans les circonvolutions de mon cerveau. Je t'aime caracolant à l'annonce d'un bon score de l'audimat. je t'aime partout, à chaque minute, à chaque heure, je t'aime à la place et ponctuation d'une phrase. Ces je t'aime me rendirent innocente et béatement animale. Hé, vous tous qui en doutez, dites-moi, dites-moi quelle femme-flamme, quelle femme-étoile aurait résisté à une telle avalanche de je t'aime en soupirs, je t'aime en bêlements, je t'aime en mugissements, je t'aime en beuglements ? « Seigneur, je t'aime. »

Mon amour,
Je pense à toi, violemment. Je voudrais toujours que tu sois là, je voudrais avoir la certitude de te voir demain, dans une succession

perpétuelle de jours, de nuits, me lover contre toi, et quand tu te serais endormie, de te regarder, te regarder, même si je connais déjà chaque détail de ton visage et de ton corps. Je t'aime.

François

7

L'amour nous piégea, nous laça, nous fileta comme des vulgaires maquereaux. Cela advint naturellement comme le soleil après la nuit. Peut-être nous attendions-nous depuis longtemps ? Peut-être déambulions-nous dans un univers virtuel n'attendant que notre rencontre pour donner chair à l'homme et à la femme que nous étions ? Ce qui est sûr, c'est que notre amour tordit le cou aux traditions, fouetta la bienséance à telle enseigne que nous fûmes bientôt inséparables.

Chaque jour, François m'invitait quelque part, dans un endroit de joie. Chemin faisant, il m'emplissait les oreilles d'anecdotes et j'emplissais l'automobile de rires arc-en-ciel. On riait des travers de ses confrères. Il imitait ce journaliste qui avait l'art de transformer son plateau en un tribunal où l'interviewer érigé en procureur faisait son numéro. Ou du lapsus de ce stagiaire qui arrive au journal du petit matin de Léon Zitrone avec sa dépêche annonçant la mort du Pape, se fourche la langue et déclare : « Le Saint-Porc est décédé. » Notre bonheur était si évident que les gens qui nous croisaient bottaient en touche : « Qu'est-ce qui se passe ? »

François nous choisissait les meilleures tables. Il tirait grande jubilation à m'épater ou à me faire plaisir. Il escroquait au mieux ma gourmandise et nous transformions chaque recoin des restaurants parisiens en une cabane où nous nous cachions tels deux mômes espiègles. Nos lèvres prononçaient des paroles aussi douces qu'une papaye. Ah, misère ! Jamais il ne fut aussi beau. Même les rides sur son front et autour de ses yeux prenaient des vacances tant nos conversations tissaient la toile d'une passion sans rémission. Puis, sans prendre de précautions d'agents secrets, sans diplomatie aucune, nous quittions le restaurant :

« Je ne suis pas une femme que l'on cache », avais-je dit à François. « Je n'ai pas envie de te cacher, mon amour. Je suis si fier de toi ! m'avait-il rétorqué. Mon entourage sera époustouflé d'apprendre qui j'aime. »

Ce jour-là, je pensai qu'il était temps de savoir jusqu'où allait notre connivence. Je voulais une attestation certifiée conforme de ce que nous ressentions et pour faire valoir ce que de droit. Alors, je l'invitai à déjeuner chez moi.

Je fis revenir le riz et je me demandai comment je réagirais si le frotté de nos peaux n'engendrait pas l'extase. Je fis sauter des côtelettes d'agneau et me demandai encore l'attitude que j'adopterais si notre étreinte s'éteignait comme une allumette sous la pluie. Mon intérieur bouillait, il fallait que je sache et je fus sans souffle lorsqu'il arriva.

– Ça va ?

– Ça va, me répondit-il en me donnant un bouquet de lys. C'est pour toi.

Il me suivit, j'avais le cou raide, il regardait alentour et disait :

– C'est très joli chez toi. Merci. On se croirait dans un autre monde avec ces plafonds hauts, ces plantes, ces objets d'art africain, ces couleurs. Merci.

Tandis qu'il flânait dans le salon, je traversai le couloir jusqu'à la cuisine. Mes talons résonnaient comme des castagnettes, plus droites les jambes, plus lascives les hanches, un deux, demi-tour : « J'ai l'air d'une top-modèle vieillissante », pensai-je avec tendresse. J'apportai un vase. « Merde, Rosa ne l'a pas nettoyé. C'est couvert de poussière. » J'y rangeai les fleurs. C'est joli, joli et je pensai : « Un homme qui aime les fleurs ne peut être qu'un artiste du bonheur. »

— En dehors de ma mère, me dit-il en s'attablant, c'est la première fois qu'une femme me prépare un repas.

— Tu manges bien chez toi, que je sache.

— Oui, mais j'ai un cuisinier depuis des années. Ma femme ne sait pas cuisiner, ajouta-t-il, les yeux amers.

— À son âge ! demandai-je, outrée.

J'étais choquée, parce que, quoique lettrée, j'appartenais à cette génération d'Africaines qui pilaient le manioc avec un sourire aussi bruyant qu'une boîte de musique et qui écrasaient l'arachide en dansant la salsa, parce que cuisiner pour un homme permet à la femme de le confisquer.

On mangea, c'est délicieux, merci. Tu es une bonne cuisinière, merci. Le chien quêta sa part, remercia en remuant sa queue.

C'est alors que nous nous regardâmes, gênés. Un rien de distance nous séparait, mais énormément de silence s'installa. Je faisais semblant d'avoir beaucoup d'intérêt pour l'os de mouton dans mon assiette. Il prit ma main et je fus emportée par un tourbillon ouah, foutre, rien à foutre. Je l'entraînai dans ma chambre avec la conscience d'affronter mon destin. Max nous suivit, médusé. Il le regarda se déshabiller. Il le vit s'allonger à plat ventre sur les draps blancs, s'agitant tel un asticot. On eût dit quelqu'un qui se reniait ou qui craignait de se retrouver. Il lécha sa main pour le rassurer, mais comprit que ses services étaient aussi utiles qu'un briquet sous une avalanche d'eau. Il poussa un gros bâillement et s'allongea sur le tapis.

François tourna vers moi un visage angoissé :

— Je ne suis pas trop vieux ? Tu ne me trouves pas trop vieux ?

J'allongeai ma main lentement, au ralenti, pour ne pas l'effrayer. Je caressai sa peau : « T'es beau, mon amour. » Je voulais ainsi rétrécir la frontière qui me séparait de lui, pour paraître plus vieille, pour qu'il paraisse plus jeune. Je voulais comprimer les vingt années qui nous séparaient « T'es magnifique, mon bel amour. » Il se crispait, tentait de fuir l'ombre de mes doigts brûlants.

— Doucement, dis-je. Calme-toi… Reste tranquille. Laisse-toi aller.

— Personne ne m'a jamais caressé.

— Et ta femme ? Vous faites bien l'amour, non ?

— … Pas du tout. Autrefois on le faisait, mais rarement… Vite expédié… trop de boulot.

Je compris qu'il était un homme à déminer, à déterrer. Qu'il me fallait extraire son corps des profondeurs abyssales. Je le massais doucement, l'éveillais à la conscience de sa chair, de ses os, de ses muscles, de ses artères, de ses veines. Je procédais à la manière de ces mères d'Afrique oignant leurs petits garçons de beurre de karité pour leur faire prendre conscience de leur sensualité. « Lève-toi, homme-lion !

bondis sur moi, homme-guépard ! Griffe-moi, homme-léopard ! Mords-moi, carnassier ! Transperce-moi, cannibale ! Dévore-moi, oui, oui, encore ! »

Je réussis à libérer son corps de son ordinaire. Puis nous ne fûmes qu'une même flamme, une lave jaillit du même volcan, la clameur d'un même tonnerre. Nous fouillâmes nos entrailles avec l'allégresse des pionniers. Nous engrossâmes l'extase, accouchâmes le plaisir dans toutes les langues du plaisir. Nous confisquâmes l'éternité jusqu'à l'impatience de l'orgasme, jusqu'à l'extrême pointe où vivre équivaut à ravir aux dieux le pouvoir d'ordonnancer la vie. Des cris jaillirent de nos gorges, galopèrent à travers les plaines, chevauchèrent les montagnes, puis descendirent en colonnade de feu le long de nos artères nous laissant épuisés, le corps désarticulé et en sueur.

— Je t'aime, mon bel amour.

— Je t'aime aussi.

Bouleversés et trop heureux pour penser au sommeil, je me glissai contre lui, il recula à l'autre bout du lit, paniqué.

– Aucune femme n'a jamais dormi contre mes épaules, me dit-il. Je n'ai pas l'habitude.

– Tu m'étonnes !?

– Pourquoi ?

– Parce que c'est si doux – et je pensais à ce moment unique où l'on s'enfonce dans un rêve ouvert. C'est si chaud, dis-je – et je pensais à ce peau contre peau des amants qui finissent par penser qu'ils n'ont plus de peau.

– Alors, approche, me dit-il, et il me fit une place au creux de son épaule. On fait chambre à part, ma femme et moi. Même avant, c'était il y a bien longtemps, nous avions un très grand lit et les animaux dormaient entre nous.

Je le regardai sans savoir quoi faire, quoi dire, après un aussi grand vertige, tout étonnée qu'à son âge, il eût tant de choses à apprendre ou à désapprendre. Je m'enroulai telle une liane autour de son corps. D'abord précipités, les battements de son cœur se firent peu à peu réguliers. « Je vais t'initier aux nuits fiévreuses et obsédantes, me dis-je. Je t'apprendrai à attraper des rayons de lumière avec tes doigts, à t'abandonner au délice d'un chocolat chaud et

102

à échapper à ce corps d'homme corseté et ceinturé. »

Il avait vingt ans de plus que moi et il m'appartenait de lui enseigner l'amour. C'était le monde à l'envers, une initiation à la condition humaine faite par la fille à son père, la mémoire familiale transmise par le fils à sa mère, les connaissances ancestrales enseignées au grand-père par sa petite-fille. C'était cocasse, c'était ridicule, mais c'était beau comme l'apparition de la première étoile dans le crépuscule. « Dieu du ciel, bientôt dix-sept heures, me dis-je en regardant l'horloge posée sur la table de chevet. Ma cancresse de Lou ne saurait tarder. » Vite, vite, se lever avant qu'elle n'arrive et ne nous donne sa ration de mépris et de machiavélisme.

— Il faut que tu partes, dis-je.

— Pourquoi ? demanda-t-il, surpris. (Il s'étira.) Je suis si bien ! Je n'ai jamais été aussi heureux.

Puis il se colla tout contre moi.

— Ma fille ne va pas tarder à revenir de l'école.

Il se leva prestement : « Il ne faut pas qu'elle

me voie. » Enfila son pantalon en sautillant. « J'aurais trop honte. Les enfants me font peur. » Puis il ramassa son attaché-case chargé du poids d'une vérité nouvelle avec laquelle il fallait désormais vivre. « Mon téléphone... Où est mon téléphone ? Ouf, je croyais l'avoir perdu ! » Il donnait l'impression qu'il allait bondir par la fenêtre et se fracasser les vertèbres sur le macadam. « Tu sais, mon cœur, je ne sais quoi dire aux adolescents. Ils me déstabilisent. »

À la porte, j'eus le vertige du baiser. « Je t'appelle, mon amour. » La brume happa sa voiture, il était temps, car en sens inverse, une musique traversa mes oreilles et cette gaieté provocatrice annonçait l'arrivée de Lou. Elle s'incarna dans mon champ de vision avec son lot de copines aux lèvres embouteillées de piercing et aux tresses incurvées sur leurs têtes comme des branches de palmiers :

— Bonjour, me lança Pauline, celle qui m'inquiétait.

Je n'eus pas le courage de lui répondre, elle détourna ses yeux sombres, des yeux de métisse où passaient malices et fourberies. Je détestais qu'elle soit amie avec ma fille. Ses lèvres pulpeuses et sa démarche lascive annonçaient l'imminence d'un flot juteux d'érotisme. Je la soupçonnais d'avoir connu une cavalcade d'amants fous, que nombre d'adolescents du neuf trois avaient eu à humer sa magnifique rose noire.

— Tu viens, Lou ? demandai-je à ma fille.

— Ça peut pas attendre, non ? rétorqua-t-elle, agressive.

Aussi j'attendais debout telle une somnambule tandis que François me téléphonait : « Je t'aime, mon amour. Tu me manques déjà. » Moi aussi. Les filles parlaient du prochain bal et des princes charmants qu'elles sortaient en série des clips qu'elles regardaient. François téléphonait encore : « Je t'aime », téléphonait encore et encore, et encore. Pendant deux ans, à chaque séparation de quelques minutes, de quelques heures, ce sera des textos en brouette, des coups de téléphone par cargaisons entières pour me dire je t'aime, tu me manques ou tout simplement pour m'annoncer la catastrophe du siècle : je suis constipé depuis trente secondes mon amour.

Sa majesté la cancresse daigne enfin entrer, me détaille, puis avec des mots calmes mais aiguisés sur les roches de son insondable tréfonds, elle me demande :

– Qu'est-ce que tu fous en peignoir à cette heure-ci, maman ? Tu viens de te réveiller ou quoi ?

– J'ai bien le droit de ne pas avoir envie de m'habiller, non ?

– C'est ton problème, mais reconnais que ça fait mauvais genre une mère pas habillée à presque six heures du soir. Ça me rappelle les mères alcoolos et les mères putains qu'on voit dans les films. Tu ne trouves pas ?

– Comment ç'a été à l'école ? demandé-je cherchant une grotte où me cacher.

– Bien, bien.

Puis elle se mit à retrousser son nez : « Ça sent bizarre la maison, dit-elle. C'est pas toi qui puerais ainsi, maman ? » Elle fourra son nez dans mon peignoir, le flaira, replia ses lèvres sur ses incisives : « Bizarre, bizarre », dit-elle en clignant outrancièrement ses paupières.

Tandis que Lou file dans sa chambre pour me saouler du même disque qu'elle repasse encore et encore, je m'engourdis devant un thé avec des gestes de somnambule. Cette même langueur m'accompagne pour me laver et m'habiller. Ma voix ne retrouve un peu de vivacité que lorsque je l'appelle pour ses devoirs. Je veux que ma fille lise les livres au programme. Qu'elle travaille ses mathématiques. Qu'elle récite ses poèmes par cœur. J'espère qu'elle obtiendra un joli diplôme et qu'elle épousera un jeune cadre. Je veux pour elle une vie aussi grise et banale que celle que je n'ai pas.

Seule la lampe du bureau est allumée lorsque je lui fais réviser ses cours. Elle n'a visiblement rien à foutre de Rimbaud ou de Voltaire. Le reste de la pièce plongé dans la pénombre m'aide à mieux supporter son air farouche de taureau prêt à m'encorner.

– Qu'est-ce que t'as à traîner avec cette Pauline, Lou ? demandé-je soudain.

– C'est quelqu'un de très gentil, maman. C'est pas parce qu'elle ne va pas à l'école que c'est pas quelqu'un de bien. Elle a une vie de chien.

— Et ses parents ? Ils ne s'occupent pas d'elle ?

— Son père est mort et sa mère est vraiment géniale. Elle lui laisse faire tout ce qu'elle veut, tu te rends compte ? Pauline peut sortir et revenir à l'heure qu'il lui plaît. Elle a vraiment de la chance.

— Si t'appelles chance le fait qu'une gamine soit livrée à elle-même...

— Pourquoi tu ne te maries pas, maman ? me demande-t-elle soudain. T'as pas peur de vieillir seule ?

— Mais je n'en ai pas envie. Et il vaut mieux être seule que mal accompagnée.

— J'ai peur pour toi, dit Lou d'une voix mellifue. Imagine qu'en vieillissant t'aies un malaise, hein ? C'est arrivé à la grand-mère de ma copine Cécile. Elle est morte alors que si elle n'avait pas été seule, elle aurait pu être sauvée.

— Je n'ai pas son âge que je sache.

— C'est dommage, vraiment !

— Pourquoi dis-tu ça ?

— Parce que si t'avais un amant, je suis certaine que tu me foutrais la paix.

Amen.

Mon amour,

J'ignorais que corps de femme fut si doux, si sucré sous la langue, qu'une langue sur mon sexe puisse être aussi délicieuse. Je suis allongé dans ma chambre, mais je suis près toi. J'ai envie de toi, j'ai envie de me perdre en toi, jouir, jouir. Je suis si heureux. Je n'ai jamais été aussi heureux de mon existence. Je suis ivre de bonheur. Que pourrais-je faire pour te rendre heureuse ? Que dois-je faire pour que tu ne cesses jamais de m'aimer ? Dis-moi, mon amour... Dis-moi... Tu me manques tant ! Je t'aime.

8

En quelques semaines, François était devenu le centre nerveux de ma vie. Il avait élu domicile dans mon âme et y rôdait tandis que Max son chien prenait ses marques dans la maison. Sa moindre absence me transformait en mille-feuille d'excitation obsessionnelle. « Tu sais ce qu'a dit François ? disais-je à Rosa. Tu sais ce que François pense de ceci ? Crois-tu qu'il aimera ce chemisier ? François a fait que, prétend que. François veut que. François n'aime pas que. »

J'en parlais tant que Rosa avait envie d'émasculer mes chimères : « Une femme noire ne doit jamais laisser un homme allumer tous les incendies de son corps, Andela. » Elle rangeait brutalement la vaisselle : « Sois prudente. Une femme ne doit jamais tout donner à un homme. Celles qui l'ont fait ont fini en charpie et en lambeaux... des fantômes de femme, quoi ! » Et puis, quand elle n'avait plus d'arguments à m'opposer, elle jetait l'éponge :

— Fais comme tu veux, Andela ! Donne-lui tout... mais ne compte pas sur moi pour te consoler.

Elle s'éloignait de cette débâcle annoncée : « je t'aurai avertie ». Elle se lavait les mains de cette passionnelle turbulence qui selon ses prédictions m'entraînerait dans les profondeurs d'une détresse sans finissement : « Une femme avertie en vaut deux. »

Même Max en avait plus que son os de cet amour. Il ne relevait plus son museau pour nous voir nous engluer l'un dans l'autre. Il lui arrivait encore de pousser un gros soupir, mais, la plupart du temps, il nous précédait dans la chambre et s'endormait.

François et moi ne vivions plus que pour nos rencontres quotidiennes. On ne se terrait pas. Notre amour crécellait dans les restaurants à portée des yeux indiscrets. On inventait

chaque jour qu'on illuminait avec le chant
de notre intimité. On califourchonnait ! On
brouettait ! On chevrotait ! On soixante-sixait !
On courcaillait nu dans la maison ! On mis-
sionnait ! On vaporisait ! On mordillait ! On
s'ébattait telles des abeilles en ruche !

Puis, nous nous perdions dans notre travail
avec ardeur. Épris de perfection, François téléphonait à son bureau pour peaufiner telle émission, contactait telle personnalité pour s'assurer
ainsi de son soutien, appelait les journalistes :
« Je n'ai pas d'attachée de presse, disait-il non
sans fierté. Je préfère jouer ce rôle moi-même. »
Puis nous nous retrouvions, nous encastrions
l'un dans l'autre et émergions de nos voyages
charnels sans souffle après avoir dit oui à tous
nos démons. Nous restions ensuite assis face à
face dans la cuisine, main dans la main. Nous
incarnions un couple serein qui jouissait d'un
amour sans tourments et sans calcul. Nous
donnions sens à ces petites choses de la vie qui
marchent à merveille, à ces riens qui distillent
une joie plane. Nous nous promettions Jupiter
et mars. En attendant, nous faisions des esca-

pades à Florence ou à Rome, à Berlin ou à Ouagadougou.

— J'aime cette maison, me disait-il. C'est pas un bunker comme chez moi.

— C'est aussi un bunker, rétorquais-je. Le bunker de l'amour.

— C'est à des années-lumière. Tu ne peux pas t'imaginer la différence qu'il y a entre ici et mon environnement. Entre toi et mon épouse.

— ...

— Chez moi, c'est froid. Un hôpital, tu comprends ? J'y viens pour me soigner, récupérer comme un sportif de haut niveau, tu comprends ?

— ...

— Comment expliques-tu que lorsque je suis avec toi, je n'ai plus de stress, je ne suis plus angoissé, je me sens si léger, si léger ?

— C'est parce que je t'aime.

— Personne ne m'a jamais aimé comme toi. Il m'a fallu arriver à plus de soixante ans pour découvrir l'amour, c'est curieux, non ?

J'autruchais, soucieuse de ne pas abîmer notre bonheur avec son passé. Je ne voulais pas semer des paroles nauséabondes. J'exécrais sa peau d'époux. L'homme à réussite me débectait. Alors, je le déviais, je rêvais. Je voulais qu'il se réinvente, m'imaginant connement qu'il n'avait pas réellement choisi son destin, qu'il n'avait pas véritablement opté pour cette vie de paillettes. Je le poussais à rentrer dans le maquis, à délaisser la machinerie des téléréalités qu'il produisait, à s'éloigner de son image sacerdotale de l'animateur préféré des Français, le bon François qu'il n'était pas, à gommer enfin l'imposture, à s'accepter. Je lui parlais des livres que j'avais lus, de l'histoire des esclaves dans les plantations, du drame de la colonisation, des minorités visibles, de l'égalité des chances. Il m'écoutait soucieux de capter toutes les vibrations de ma voix et s'émerveillait de mes connaissances.

— Si mes professeurs avaient été aussi pédagogues que toi, disait-il comme un dont le cœur pleure, je pense que j'aurais poursuivi mes études...

— L'école de la vie, c'est encore l'école, lui disais-je. Puis, tu as une énergie incroyable, une capacité à partager avec les téléspectateurs tes enthousiasmes, tes coups de cœur. Tu m'impressionnes, le sais-tu, mon amour ?

— Je ne suis pas comme toi. Tu as la méthodologie de la connaissance. Je me suis fabriqué mes propres béquilles et prothèses pour m'en sortir.

— Tu es le meilleur dans ton domaine.

— Je suis sûr que mes parents t'auraient aimée. Pour ma mère, il n'y avait que deux journaux qui méritaient d'être lus : *Télérama* et *Le Nouvel Observateur* et une émission de télévision qui valait la peine d'être regardée : celle de Jacques Chancel.

— Ils seraient fiers de toi s'ils étaient vivants.

— J'en sais rien. Ce couple d'immigrés russes rêvait pour ses trois fils d'avoir parmi eux un professeur de mathématiques, un haut commis d'État et un prix Goncourt. Je suis le seul qui aie déçu leurs espoirs.

Son front se chiffonnait et je savais que ses parents serpentaient dans sa tête. Je m'acharnais à les éradiquer, parce que je refusais qu'il se résume à ce que son père en avait pensé, à ce que sa mère lui avait légué en héritage. C'était devenu pour moi un objectif. Je lui parlais de Marx et de Hegel, de Rousseau et de Diderot, ceux-là dont les écrits avaient permis de balayer les vieilles histoires de domination fondées sur la couleur de la peau ou la classe sociale.

— Viens, disais-je lorsque je voyais ses yeux s'exténuer, viens, on va faire une sieste.

Je l'entraînais dans la chambre et, tandis qu'il dormait, je le caressais doucement avec l'espérance un peu folle que mes doucines captureraient le temps, notre mortel ennemi. J'étais prête à porter les vêtements d'un ange pour un face-à-face avec le ciel. Je voulais que Dieu rallonge le temps ou qu'il écrive l'histoire avec une gomme. J'aurais pu vendre mon âme aux esprits des forêts afin qu'ils me montrent le commencement du monde, le point de départ de la création. J'aurais effacé les vies antérieures de François ; j'aurais démantibulé les rides sur son front ; j'aurais neutralisé ses cheveux blancs, ses fatigues et je l'aurais rajeuni de quarante ans ; je nous aurais donné cent mille ans d'une vie d'amour sans l'ombre d'une ombre. Quelquefois alors qu'il était plongé dans l'inconscience du sommeil, je pleurais doucement, oui je pleurais, veuve inconsolable déjà. Je pleurais parce que je m'imaginais son absence qui me replongerait dans cet univers où les difficultés quotidiennes bloquaient toute tendresse.

Ce jour-là justement, de gros nuages s'amoncelaient dans le ciel et l'air était lourd d'une menace de pluie. Allongés côte à côte, je respirais nos odeurs entremêlées et mon inquiétude sur le temps vrillait mes tripes. Je la sentais les torsader en une longue tresse d'angoisse. Soudain, la porte de ma chambre s'ouvrit à grand fracas : « Maman ! » Lou apparut, ouvrit la bouche devant notre nudité et baissa les yeux : « Excusez-moi. » Elle quitta précipitamment la pièce.

— Qu'est-ce qui se passe, mon amour ? demanda François en s'extirpant de son sommeil.

— C'est ma fille.

— Quoi ? Elle nous a vus ? Oh, merde !

— C'est pas si grave que ça, lui dis-je. L'essentiel, c'est de rester calme, de brider sa honte, d'opposer à la désapprobation d'une gosse une assurance d'adulte serein.

Max nous précéda dans les escaliers en balançant sa queue. Il semblait heureux de nous devancer devant le tribunal. Il déposa son museau sur notre juge qui mangeait des pop-corn en regardant la télévision. Lou le caressa, tourna la tête et je lus sur son visage les premiers signes d'un jugement négatif. Prévenus, vous êtes indécents ! Indécents et irresponsables ! C'est de l'attentat à la pudeur ! Savez-vous ce que c'est que l'attentat à la pudeur ? Non, mais vous me souriez ? C'est infect ! Vous faites preuve de cynisme ou alors vous êtes inconscients ! Vous avez forniqué publiquement et, pour cela, vous êtes condamnés à subir mon mépris et ma haine éternels !

Dans ce contexte-là, j'eus la joie d'apprécier les capacités d'ambassade de François. Il était tout sourire, tout miel de visage comme si Lou était la septième merveille du monde. Il quêta des nouvelles de son âge, de ses études et du métier qu'elle comptait faire.

– Journaliste ! répondit ma fille en mâchonnant ses pop-corn. Pensez-vous que j'aie une chance d'y parvenir ?

– Bien sûr ! Mais c'est difficile... Il faut beaucoup travailler, certes, mais être humble. Quand j'ai commencé, j'étais le garçon à tout faire de tout le monde. J'apportais le café, j'allais porter les vêtements des patrons au pressing ; je leur prêtais même mon appartement pour leurs cinq à sept. Je passais mon temps à proposer mes services afin qu'on me remarque.

Il était la preuve vivante que qui voulait pouvait se faire son trou. Il trônait sur les sommets de l'audimat, sans concurrence aucune. Quarante ans de stress certes, mais d'une grande victoire sur ses parents qui n'avaient pas cru en lui, sur ces intellectuels qui le traitaient de haut mais étaient prêts à manger dans ses mains pour leur quart d'heure de gloire télévisuelle. Ma fille était toute déconfite. On eût dit un soldat sans munitions face à ce caravanier déterminé qui avait traversé le désert malgré une grosse tempête de sable. Rusée, elle regarda la pointe de ses Nike, fixa droitement la télévision et jeta une de ses formules qui avaient l'art de vous transformer en caca poule :

— Et combien de personnes avez-vous tuées pour être encore là aujourd'hui ?

Mon cœur se tissa de honte. Mais François était un morceau d'homme insubmersible. Il redressa sa voilure, sourit, mit le cap sur sa gentillesse, son amour de l'humanité, sa bienveillance à l'égard de ses invités, son altruisme à l'encontre de ses semblables. À l'écouter, il n'avait pas d'envers, pas de revers, aucune contradiction, juste ce qu'il montrait, un animateur idéalisé par des millions de Français qui attendaient impatiemment chaque dimanche que débute « Souriez, c'est dimanche », afin qu'il leur serve leur bol de scores, de beauté, de force et de pur dépassement de soi dans un monde de cyclopes, de méduses et de haillons.

— Tu vois, Lou, conclut-il, je t'aime déjà.

Lou le regarda avec incrédulité. La preuve ? Bon Dieu, la preuve ! Il avait des places pour la première de Johnny Hallyday, voulait-elle y aller ? Il fouilla fiévreusement ses poches : « Voilà, tiens. C'est pour toi. »

— Merci, dit Lou les dents serrées.

Plus tard, alors que nous dînions toutes deux dans ce restaurant chinois rue de Belleville, ma fille me dit qu'elle n'avait pas confiance en François. Qu'il était faux comme une photocopie. Qu'elle craignait qu'il ne montrât de lui qu'une voltige de lucioles dans la nuit, des chatoiements de surface d'une rivière aux fonds boueux, des flamboiements de rosée matinale dans une forêt tropicale. Non décidément, il n'était pas fiable, trop lisse pour ne pas être complexe, trop généreux pour ne pas cacher d'horribles stratégies.

— T'es jalouse, dis-je.

— Et toi t'es naïve. Fais gaffe quand même. J'ai peur qu'il ne soit en train de se payer un caprice d'enfant gâté.

— T'es méchante, vraiment, ma fille. Et c'est bien dommage.

— Réaliste. J'ai les pieds sur terre, moi ! En plus ce type ne s'est jamais préoccupé des autres pour aimer. Seule sa petite personne le préoccupe.

— Et alors ? Cela ne signifie pas qu'il ne m'aime pas.

— Ah oui ? demanda-t-elle, sceptique.

Je fixai les canards laqués suspendus le long de la vitrine et qui ressemblaient à de gros lumignons ; je fixai les gâteaux ronds tapis dans des papiers à cannelures et qui ressemblaient à des jouets en plastique. Je savais que François avait besoin de mon corps pour vivre, de mes paroles pour vivre, de mon consentement pour vivre, de mon adoration pour vivre. Je rétorquai à ma fille :

— Il m'aime... En voici la preuve.

J'allumai la page réception de mon portable et fis défiler sous les yeux ébahis de ma fille quelques textos qui témoignaient par a + b que François n'était pas en quête de chevauchées sauvages, de fantasmes de pubis noir et des désirs d'à saute-mouton au détours d'un après-midi.

« Où es-tu, Andela ? Que fais-tu, Andela ? Penses-tu à moi, Andela ? Je t'aime. As-tu regardé mon commentaire sur le match Nancy-Lens, qu'en penses-tu ? Que penses-tu de mon invité principal ? Je t'aime. C'est pour toi que je travaille, mon amour. Je t'aime. Je veux t'impressionner, mon bel amour. M'aimes-tu toujours ? J'ai peur. J'ai si peur de te perdre. »

— Alors, qu'en dis-tu ? demandé-je, victorieuse. Il faut oublier tes préjugés. Les époques ont changé. Puis, ça ne te regarde pas.

Elle mordit dans un nem.

— Pour la chute, me dit-elle la bouche pleine, ne me demande pas de te prêter mon parachute.

Mon amour,

J'ai été heureux de rencontrer ta fille, elle est d'une intelligence exceptionnelle, elle tient de sa mère. Je suis heureux et si fier que tu m'aimes. À ton contact, ma vision du monde a changé, je suis plus sensible aux autres, aux problèmes des minorités. J'aimerais t'aider, que tes engagements soient les miens. Mais change-t-on un homme après soixante ans ? J'ai passé ma vie à vouloir être performant, sans m'occuper du sort des autres, et je ne le comprends que maintenant grâce à toi. J'ignorais qu'il était si bon de caresser une femme, de la lécher. Je t'aime. Dors bien mon bel et unique amour.

François

9

L'irruption de Lou dans notre chambre mit cul par terre les dernières digues qui nous retenaient. Il n'y eut plus d'amour cheeseburger, d'amour location, d'amour emprunt, mais de l'amour plongé nuit et jour dans une frénésie de jouissance. François avait décidé de couler avec moi dans la renaissance de la vie conjugale. Il se convertit en militant des causes perdues. La représentation des minorités le turlupinait tant qu'il déposait ses revendications à la télévision et dans les dîners : « Il faut plus de Noirs dans les instances gouvernementales », clamait-il. Ses amis le regardaient ahuris : « Qu'est-ce qui arrive à notre Fanfan ? Il a fumé du chanvre ou quoi ? » D'autres s'en réjouissaient : « C'est formidable ce que tu vis en ce moment, le félicitaient-ils. Garde cet amour précieusement. » D'autres encore me regardaient comme une peau de bête sur laquelle ils mouraient d'envie de s'essuyer les pieds. Ils ne disaient rien en nous voyant, mais leurs voix intérieures résonnaient à mes oreilles : « C'est inadmissible ! C'est indigne ! » Les Noirs l'encourageaient : « Bravo, beau-frère ! T'es pas vraiment un Blanc comme les autres ! » François gonflait, aspiré par ce chaos émotionnel qui l'éblouissait : « Merci, mon amour, de me faire découvrir cette part de moi. Je ne me savais pas généreux, ni si altruiste. » Et il m'offrait des pulls et il m'offrait des fleurs. « Merci d'exister. Tout simplement. »

Mais au-delà de tout, il se convertit à l'émancipation féminine. Il faisait les courses, jetait les poubelles, s'inquiétait de savoir si j'avais réussi à remplir ma feuille d'imposition ou si mon livre avançait. Il achetait la viande aux Lilas et trouva à Pantin l'Arabe qui ouvrait jusqu'à des heures à ne pas jeter un chien dehors.

— Monsieur François Ackerman, s'exclamaient les commerçants en montrant leurs dents perlées. Vous habitez le quartier ? Parce que vous comprenez, on vous y voit tous les jours !

— Presque, rétorquait François.

Et c'était un flot de bonheur pour les habitants du neuf trois. Ils chuchotaient la nouvelle, la murmuraient, la tamtamaient : « François Ackerman est notre voisin ! » Ils en étaient fiers, ils voyaient qu'on ne les oubliait pas, que le soleil brillait pour tous. Le neuf trois charrié, karcherisé, n'était pas seulement un repère de haillonnés, d'assassins, de tire-au-flanc, il avait sa part de célébrités, de notoriétés, que dis-je de divinités télévisuelles. Ils en tremblaient presque. Lorsqu'ils passaient devant notre maison à la terrasse fleurie, ils baissaient les yeux pour qu'on ne pense pas qu'ils voulaient s'accrocher à un morceau de cette immense gloire.

— Ils sont très discrets, tes voisins, constata François. Même lorsqu'ils nous voient marcher main dans la main, ils ne disent rien. L'un d'eux aurait pu nous photographier et envoyer ces photos aux journaux. Il se serait fait pas mal de fric.

— Morale et éthique rythment la vie des pauvres, lui dis-je. C'est tout ce qu'il leur reste. Ce ne sont pas des gens d'argent.

— Moi non plus. Et n'eussent été mes dettes multiples, je t'aurais financièrement aidée à payer ton loyer ou ton électricité, mon amour.

— Je sais, mon cœur, fis-je en lui prenant la main pour la porter à mes lèvres.

Il baissa les yeux et je vis qu'un paquet de vieux souvenirs revenaient à sa mémoire. Ils grimpèrent le long de sa corde vocale et jaillirent en purulence sur la table de la cuisine.

— À la mort de papa, c'est moi qui ai aidé ma mère. C'est moi qui l'ai emmenée en vacances jusqu'à sa mort. C'est toujours moi que mes nièces appellent lorsqu'elles sont fauchées. Toute la famille m'emprunte de l'argent qu'on ne me rembourse jamais, estimant que j'en ai trop !

Au fil au fil qu'il parlait, ses pommettes rougissaient, ses mains s'agaçaient, son visage se fermait comme s'il portait le poids d'une souffrance trop longtemps contenue. Il en voulait à ses frères qui avaient eu la chance d'être les premiers de la classe, la chance d'être félicités par les parents, la chance d'avoir fait des études, la chance d'être aimés des femmes et qui avaient cueilli tous ces bienfaits sans penser à les partager avec les malchanceux.

— C'est pas grave, dis-je décidée de ne pas voir les monstres qui se cachaient sous les soupiraux de sa colère. Mon frère aussi me doit de l'argent, mais c'est pas grave.

— Mais c'est important, mon amour. Il faudrait que tu apprennes à faire attention à ton argent. Tu passes ton temps à donner à tout le monde, à nourrir et à aider les enfants du quartier, avec tes Pauline que tu prends maintenant en charge. Tu devrais penser à toi, à toi, à toi.

— En Afrique...

— On n'est pas en Afrique ici.

Il étalait ses béances gonflées d'égocentrisme, ses fentes remplies de semblant de bonté, ses interstices bourrés de photocopies de générosité. Je ne désirais pas qu'il approfondisse son intérieur devant moi. Je souhaitais rester au début de sa circonférence, je voulais m'épargner la tristesse de trop le connaître et de cesser de l'aimer.

— Viens, mon cœur, allons nous reposer.

Je le déshabille parce sa peau est tout sucre. Je le fais avec des gestes lents qu'accompagne ma langue sur ses seins. Je suis consciente des battements sur ses tempes, des éboulements dans sa cage thoracique, elle glisse encore sur son ventre, sur ses jambes jusqu'à la pointe de ses pieds. Il s'enfonce en moi, et moi je veux être heureuse, je suis heureuse, c'est réconfortant cette sensation de bien-être. Quoi d'autre pourrait me mettre dans cet état ? Puis, enlacés l'un à l'autre, nous avons laissé la vibration de la journée rendre plus entêtante l'odeur de nos peaux. Il émerge soudainement de ce somptueux voyage :

— Pourquoi ne m'accules-tu pas ? Pourquoi ne me demandes-tu pas de divorcer, d'officialiser notre relation ?

— Parce que je t'aime, dis-je, d'une voix traînante. (Silence, lent mouvement de mes mains sur ses cheveux.) Parce que ta femme et moi nous n'attendons pas la même chose de toi. (Silence. Mouvement de mes mains sur ses joues.) Parce que ce qu'elle veut de toi ne m'intéresse pas.

— Tu es si généreuse, Andela.

— Il ne s'agit pas de générosité, mais d'amour. Mon sens de l'équité m'interdit de demander à un homme de plus de soixante ans de divorcer.

— Pourquoi ?

— Parce que c'est inhumain de quitter une femme au bout de tant d'années, même si on ne l'aime plus. Je veux que tu gardes ton baluchon de passé, mais que tu construises l'avenir avec moi.

— Tu es étrange.

— Je t'aime suffisamment pour ne pas souhaiter de brisures dans ta vie. Je te le répète, ta femme ne me gêne pas puisque c'est avec moi que tu es, que c'est moi que tu aimes. Mais toi, mon cœur, que ferais-tu si elle te demandait de me quitter ?

— J'espère qu'elle ne fera jamais ça. Je la quitterais définitivement. C'est toi la femme de ma vie. Mais il faudra que j'abandonne mon métier.

— Pourquoi ?

Il se tait et je me perds dans mes propres pensées. Qui le retient ? L'épouse-glaçon, la dame patronnesse, celle qu'il qualifie de dompteuse ? Qu'est-ce qui le retient ? Rien ou presque, des souvenirs qui se mêlent au curieux espoir qu'il n'est pas encore allé au bout de lui-même, qu'il n'a pas encore eu le temps de démontrer à la terre entière ce qu'il avait en lui.

Ce que François avait de plus joli en plus de son sourire et de ses yeux bleus, c'était sa naïveté, cette capacité de faire croire à l'inexistence des intrigues ou de la malveillance. Quelquefois il rentrait, le cœur gros de quelques cachotteries télévisuelles, de quelques intrigues destinées à lui nuire.

— Machin a répété partout que j'ai fait mon temps, disait-il en ôtant son veston qu'il jetait sur une chaise.

— C'est méchant, disais-je.

— Tu crois ? me rétorquait-il, flegmatique.

Il ne jugeait pas et donnait l'impression que ces méchancetés se retiraient de sa mémoire comme le Nil qui reflue jusqu'à la galette séchée de son nid. Il déglutissait, rien ne semblait l'altérer. Je lui servais une pintade accompagnée d'un riz cuisiné à l'africaine, dont il se régalait, mais je savais qu'il avait l'art de briser ses adversaires. Je savais qu'il pratiquait une péridurale à ses ennemis avant de les casser. Nous avalions la volaille après avoir accumulé sur nos palais toutes les saveurs des épices. Le goût âpre du ginseng se fondait dans la douceur du tchobi que parfumait le massèpe et je savais qu'à l'arrivée, il tuait ses rivaux presque incidemment, un peu comme un enfant qui brise un jouet presque sans le faire exprès. Très souvent après avoir mangé, yeux dans les yeux, doigts croisés, il me regardait débarrasser et faire la vaisselle. Puis il se calait contre la chaise, écoutait les cris étrangement humains des oiseaux, les mouvements obscurs du sol sous nos pieds.

— Je suis incapable de faire du mal à une mouche mon amour. Je ne suis ni cynique, ni méchant.

Sa voix s'écoulait alors en petits traits maladifs ; son corps se voûtait et se tassait. Il faisait penser à un chaton sans défense dans la gueule du loup. La compassion me torturait le cœur, je le prenais dans mes bras :

— Je sais que tu es bon et généreux, disais-je.

Je le félicitais d'avoir réussi à survivre dans cet univers de maillages de coups bas, de tricheries et de forfaitures. Je le félicitais encore d'avoir su préserver son innocence dans ce monde où l'on faisait griller les intestins des adversaires dans les fourneaux de satan et où l'on se confectionnait des pendentifs avec leurs yeux. Il reniflait un peu, puis reprenait son antienne :

— Il faut reconnaître que la télévision poubelle d'aujourd'hui n'a rien à voir avec celle que je fais. Je mets mes invités en valeur, je n'oublie jamais que la véritable star de la télévision, c'est la télévision elle-même. J'appartiens à la dernière génération d'hommes de télévision qui ont une éthique et une morale. Les jeunes n'ont pas compris que je suis encore là grâce à mes compétences, ma rigueur et ma volonté de transmettre.

Puis il passait ses mains sur son visage comme s'il voulait le décrocher, mais la seule chose à quoi il parvenait c'était de se lisser davantage ses beaux cheveux.

— Beaucoup rêvent de prendre ma place, achevait-il amer.

Puis, il faisait le tour du paysage audiovisuel français. Il déterrait les coups fourrés, les tromperies, les déchéances, les désespérances, les coucheries, les cocufiements en prenant une mine réjouie ou atterrée selon les circonstances. Je prenais un malin plaisir à l'accompagner dans cette orgie de paroles empoisonnées. J'y jetais ma part de mots explosifs. Je mutilais des personnalités dont j'ignorais tout, avec qui je n'avais pas de maille à découdre. Je les haïssais ou les méprisais, parce que la voix de François appelait le mépris ou la vengeance. Je savais instinctivement que nous étions reliés à quelque chose qui nous dépassait, que nos visions parallèles du monde, nos perceptions respectives, nos certitudes individuelles s'entremêlaient, se fondaient en un tout indiscernable. Notre amour, sans que l'on sût comment, accouchait d'une identité que les dieux n'avaient pas prévu d'inventer. Irradié de désir, il me prenait la main et m'entraînait au lit.

Mon amour,

Par certaines nuits, alors que tu dors, je me réveille, je regarde ta silhouette que révèle le clair de lune. Tu es allongée dans les draps froissés, ces draps empreints de nos odeurs, les odeurs de nos tendresses mêlées. J'ai alors des bouffées de tendresse si denses qu'elles m'empêchent de me rendormir. Je te regarde jusqu'à épuisement, me demandant que faire, comment sortir de l'impasse, comment te rendre définitivement heureuse ? Il me vient la pensée folle qu'on pourrait s'en aller en Afrique, recommencer une nouvelle vie. Je pourrais y proposer mes services, créer une association humanitaire, et, grâce à mes réseaux nous pourrions acheminer des médicaments dans les villages les plus reculés. Je sais que c'est fou, mais qu'en dis-tu ? Je t'aime.

François

10

Le bonheur se suffit à lui-même et cet état me mit dans l'incapacité d'écrire, de créer, d'imaginer, de concevoir ou d'inventer. Les pages de mon ordinateur demeuraient désespérément vides. Les feuilles vierges me narguaient et les phrases qui surgissaient de mes mains semblaient comme enfermées dans une armure. Je regardais fixement mon écran. On eût dit un trou, un trou terrifiant que je n'arrivais pas à combler tandis qu'à l'extérieur la vie continuait à faire son cinéma. Des cris d'enfants traversaient la fenêtre. Une femme interpellait un homme et leur altercation me rappelait que le bonheur damnait mon écriture. Au début, ma bouche se crispait devant la page blanche. Je sentais alors l'odeur de la culpabilité flotter autour de moi. T'es devenue une lionne sans griffes, me reprochais-je. Un arbre stérile. Un baobab sans branches. Je fumais plus que de raison en expédiant des volutes de fumée rondes vers le ciel, quémandant à Dieu une aide qui ne venait pas.

Un matin, un corbeau chanta sur le toit et mon esprit s'illumina. Récurer, frotter, laver, repasser ! J'avais la solution à l'expiation de mes péchés.

Je partis à la conquête de la propreté avec l'appétit d'une personne en retard à un banquet. Je harcelais la poussière, traquais ses traces dans les moindres recoins, bien décidée à ne faire aucune concession à la vacuité qui m'eût amenée à m'interroger sur ma paresse intellectuelle. Je me grisais des travaux ménagers avec l'ivresse des parvenus. Laver, coudre les boutons, récurer, repasser. Rosa, dont c'était le travail, me regardait m'échiner en se décolorant les cheveux. « Que penses-tu de ma nouvelle coiffure, Andela ? » me demandait-elle, alors qu'agenouillée je frottais le sol. Elle faisait jouer ses mains telle une marionnettiste : « Comment trouves-tu mes faux ongles ? T'es vraiment maniaque, Andela ! Tout brille. Tu fais mieux le ménage que moi. » Et elle tendait ses grosses mains pour cueillir son salaire.

Il pleuvait en ce milieu d'après-midi et j'étais fourbue. J'avais du mal à plier mes genoux ou à me baisser comme si les années avaient grignoté toutes mes forces. « Qu'est-ce que t'as à avoir mal à la naissance du dos ? me reprochait Rosa. Seules les femmes qui ont beaucoup accouché ont mal à cet endroit », concluait-elle. Je ne m'expliquais pas pour ne pas contester sa suprématie des femmes ayant connu deux fois quatre accouchements. Je m'allongeais en prenant beaucoup de précautions alors qu'autrefois je sautais sur le lit. L'air dégageait une odeur de noisette desséchée. La pendule dans ma chambre tactaquait et soudain son rythme se mêla à la sonnerie de la porte d'entrée.

Je traînais des pieds en grognant, mais j'avais toujours ouvert à quiconque sonnait, prête à engager la conversation avec le facteur, avec le vendeur ambulant, oui, n'importe quel clochard, tout en répondant au téléphone ou en surveillant la sauce sur le feu. Je les vis par la fenêtre, alignés à la queue leu leu tels des ambassadeurs venus présenter leurs vœux à un chef d'État. Leurs costumes noirs étaient mouillés. Ils sautillaient sous la pluie pour chasser les piqûres du froid sur leurs peaux. Qu'ils sont drôles, me dis-je en regardant leurs cheveux que l'eau avait empaquetés en tas laineux sur leurs têtes.

— Mes frères, m'exclamai-je en ouvrant. Quelle surprise ! Mais que faites-vous là ?

— On passait pas loin, me répondit Lanciné le plus âgé du groupe. On s'est dit qu'on devrait s'arrêter pour savoir comment allait notre sœur.

— C'est vrai qu'on a pas de tes nouvelles depuis un certain temps, me dirent Djibril et Cissé, deux étudiants africains qui depuis vingt ans tuaient leur temps à cumuler des doctorats.

— Entrez, entrez donc, les encourageai-je. Ça va ? Ça va ? Tenez, essuyez-vous. Vous avez l'air en pleine forme. Voulez-vous boire quelque chose ?

— Non merci, me dirent-ils, en prenant place autour de la table de la cuisine.

Il y eut un silence qui me fit penser que leurs cerveaux cuisaient les paroles qu'ils allaient me servir. Ils étaient venus à l'évidence pour des raisons qu'ils jugeaient graves et qui demandaient des précautions de langage, des subtilités d'entournure. Je les connaissais assez pour détecter l'importance de leur ambassade, dans les mains de Camara qu'il ne cessait de tordre, dans les mouvements de sa bouche qui accentuaient les rides de son visage.

— Nous sommes venus te voir pour que tu nous aides à organiser un grand colloque.

— Sur quoi ? demandé-je.

Je me levai et mis la bouilloire sur le feu.

— Sur la femme et l'homme noirs, dit-il d'une voix caverneuse. Il est temps qu'on empêche nos femmes de quitter l'Afrique et d'épouser les Blancs via internet.

— C'est la mondialisation, m'écrié-je. Comment veux-tu empêcher ça ?

— Dans l'échange, nous sommes perdants. Toutes nos femmes de qualité épousent des Blancs. À ce rythme, l'Afrique va se vider de ses meilleurs éléments féminins.

— Si vous étiez un peu plus gentils avec vos

épouses, un peu plus doux, un peu plus tendres, un peu plus amoureux, un peu moins machos, peut-être que...

— Blague pas avec ça, Andela, dit Lanciné. C'est sérieux ! Très sérieux même ! Nous sommes venus te dire qu'on t'a trouvé un homme sur mesure. Un Malien. Beau. Brillant. Riche. Il est d'accord...

Et voilà, il avait fini par laisser jaillir la chose de sa bouche comme un mauvais hoquet. Je poussai un soupir pour me donner le temps d'expulser toute tension de mes nerfs. Je posai les tasses devant eux.

— Je ne suis pas à la recherche d'un mari, dis-je d'un ton amusé. Voulez-vous du sucre ? Du miel ?

— S'il te plaît, dit Cissé.

— Détendez-vous, mes frères, m'exclamai-je. C'est pas tous les jours que vous vous invitez chez moi.

— Alors, cesse de sortir avec ce François Ackerman, fit Camara — et c'était un ordre. C'est un Blanc. Ou tu es avec un Noir ou tu restes comme on t'a toujours connue et aimée : célibataire.

Je les regardai et soupesai le poids de la malé-
diction des peuples à l'aune de leur manque
de fraternité et de leur incapacité à aimer.
Croyaient-ils vraiment qu'en combattant ceux
qui aimaient au-delà des frontières, l'Afrique
réussirait à reconquérir sa souveraineté et sa
dignité bafouée par des siècles d'esclavage ?
C'était risible, aussi cocasse que d'espérer que
les joutes intellectuelles qui se déroulent dans
les salons parisiens aient prise sur les réalités
africaines. Je souris du coin gauche de mes
lèvres tandis que le droit légèrement affaissé
escamotait déjà mon image de la sœur africaine
qui obéit à ses frères.

— Ma vie privée est mon domaine réservé,
dis-je d'une voix ferme. Je vous interdis de vous
en mêler.

— Tu nous représentes. Il y a des images que
tu ne dois pas renvoyer à notre jeunesse. Il faut
sortir du complexe senghorien, tu comprends ?

— C'est un discours que je n'accepte pas.
Devrais-je renier ma fille ?

— Erreur de jeunesse.

— Tu appelles ma fille « erreur de jeunesse » ?
hurlai-je. Maintenant dehors !

Mon dos s'arrondit sous le poids de la colère. Mon visage se ferma plus que ces plantes qu'on appelle belles-de-jour. « Hors de chez-moi ! » hurlai-je. Ils se levèrent et esquissèrent une retraite honteuse. Mais cela ne me suffisait pas. Je les insultai en les précédant à la porte. « Vous êtes aussi fachos que ces Blancs que vous traitez de racistes ! Des saletés, voilà ce que vous êtes ! Honte à la maison de vos pères ! » Je leur déjetai un collier de réprobations, de malédictions, de vérités ethniques, de constats politiques et d'appels à la liberté.

— Calme-toi, Andela, me dirent-ils, ennuyés. On t'aime bien, c'est pour ça qu'on s'est permis de te mettre en garde.

Je n'écoutais pas. Je voulais juste organiser une pendaison publique pour les décapiteurs de ma passion, juste une petite lapidation pour cette vermine qui se proposait d'assombrir ma vie.

— Bon ben, on t'appelle, dit Camara, confus.

— C'est ça, répondis-je.

Puis toute debout, je les regardai s'éloigner, les entendis rire aussi et leurs éclats de rire me parurent offensants.

« Décidément, me dis-je, il n'est pas permis de rire avec autant de vulgarité. »

La nuit ramena François. Il était stressé. Son cou était presque aussi raide qu'une statue de cire. Il avait toujours cette rigidité musculaire après l'enregistrement de son émission, ce qui ne l'empêchait pas de la réengistrer dans ma chambre. Je pouvais voir les rideaux s'ouvrir sur le demi-cercle des invités. Il réorganisait les lumières du plateau et j'entendais ronronner les projecteurs. On réinstallait les invités et il les interrogeait à nouveau rien que pour moi.

L'émission ? Rien que de très banal. Un commentaire du football de la semaine où des gens qui avaient un disque à vendre, des politiques qui essayaient de tromper les braves citoyens et des acteurs vieillissants à la cervelle cerclée par les années soixante, faisaient semblant d'aimer le sport pour fourguer leurs navets.

Je l'écoutais en lui massant les épaules ou les pieds, indifférente à son flot intarissable. Cet univers virtuel, ce monde fébrile, frénétique, qui se raccrochait au mien sereinement parallèle, suscitait tout d'abord mon intérêt puis tout retombait en flan-flan, en flon-flon, patraque. Quand il me parlait de son métier, j'aurais pu l'informer que je m'étais cassé la colonne vertébrale ou que la moitié de la planète venait d'être détruite par une météorite, il aurait écouté la musique des mots, rien de plus. Je mettais son détachement global sur le dos de sa névrose qui l'incitait à ne rien voir d'autre que la télévision.

— Veux-tu qu'on aille dîner avec Michelle ce soir ? me demanda-t-il. Elle a envie de te connaître.

— Pourquoi pas ? Des Noirs sont venus cet après-midi. Ils m'ont demandé de ne pas vivre avec toi.

— Dépêche-toi, mon amour. Ne la faisons pas attendre.

J'aurais aimé qu'il me questionne, qu'on réfléchisse ensemble sur les préjugés non écrits, mûris à l'ombre des silences et des malentendus dans lesquels les êtres s'enferment quelle que soit la couleur de leur peau. M'avait-il

seulement entendu ? Déjà il s'impatientait :
« Andela, Andela ! Dépêche-toi, mon amour. »

Michelle est une de ces femmes dont la vie
chante le blues. Elle a taillé les ailes du désir
pour qu'il n'échappe pas à son contrôle. Elle a
chassé la passion de sa vie comme on chasse
une mouche tss ! tsss ! pour ne pas être hantée
d'envies saugrenues. Elle n'a jamais laissé un
homme fêler la carapace de son amour-propre.
Elle s'est suffi à elle-même. Elle a travaillé avec
acharnement. Ses yeux se sont épuisés à monter
des émissions, à rafistoler un magma d'images
et de paroles, pour leur donner une cohérence
à faire pâlir le Bon Dieu de jalousie. C'était la
déesse de François. Une blonde olympienne
auréolée de gloire, aux yeux luminescents, des
yeux de laser qui captaient ses failles. Une ouïe
de serpent minute qui détectait ses fausses
notes. Elle ordonnait, ordonnançait, agençait,
séquençait, restructurait. Leur association était
conçue pour durer car ils ne poursuivaient
qu'un seul idéal : rester à la télévision.
 Mon cœur eut un raté lorsque je la vis.

Lumineuse, elle était. Gracieuse aussi. Avec des rondeurs aux hanches qui lui donnaient une démarche lascive. Sa bouche était pulpeuse, très rose et, curieusement, elle semblait irrévérencieuse même lorsqu'elle se taisait.

— Je suis heureuse de vous connaître, me dit-elle. François m'a tant parlé de vous.

— Moi aussi.

Et c'est tout ce que j'avais à dire.

Une lumière grenat tapissait le bar-restaurant où nous nous trouvions. On commanda des amuse-gueule qu'un serveur éparpilla sur la table basse. C'était joli, joli : une miette de foie gras, un brin de caviar, quelques branches d'écrevisse, des bouts de pain grillé. La moquette lourde et sombre aplanissait les bruits des clients. Une musique bien élevée chatouillait les oreilles. François semblait impressionné. Il se rapprochait de moi, imperceptiblement, comme s'il voulait que je le sauve. Il prenait ma main, caressait mes jambes, cherchait constamment mon regard. Michelle nous observait avec des yeux où se mêlaient plaisir et remords.

— Profitez-en tant qu'il est encore temps,

ne cessait-elle de dire en picorant quelques cre-
vettes. La vie est si courte !

Ma sensibilité d'écorchée vive me faisait
entendre un autre discours. « Il est amoureux ?
Ça lui passera, il nous reviendra. Il me reviendra. »

Quand François s'en alla se soulager, elle se
pencha tant vers moi que je sentis ses yeux
aussi bleus que ceux des nouveau-nés me trans-
percer. Je centrai mon attention sur elle, ne
perdis pas un seul de ses gestes tandis que ses
mots se gravaient au fer rouge dans mon
esprit :

— C'est la première fois que je vois François
heureux. Profitez-en. Vivez au jour le jour. Pre-
nez tout ce que vous pouvez prendre. Et quand
ça s'arrêtera...

— On s'aime vraiment.

— Oui. Je sais. Mais il ne peut pas divorcer,
vous comprenez ?

— Je ne veux pas forcément qu'il divorce.

— De toute façon, il n'en est pas question. Il
n'y a plus rien entre sa femme et lui depuis
des années, mais il a besoin d'elle. C'est elle
qui gère ses affaires.

— On s'aime, c'est tout. On s'aime vraiment.

— Ouais… Profitez de l'instant. Profitez de votre chance.

Cette nuit-là, je caressai longuement mon amour, je l'adoucis, le sculptai jusqu'à rendre moelleux ses moindres interstices. Il aimait attendre que mon sexe se crispe et que je me liquéfie dans ses mains. Il me lubrifiait jusqu'à ce que mes yeux se révulsent, que des spasmes secouent mon ventre, que je devienne docile à ses humeurs. Alors seulement, il s'arc-boutait et s'en venait dans une avalanche de râles et de sanglots. Je guettais cette expression si particulière sur son visage, cette expression que je ne lui connaissais qu'à l'instant du plaisir sexuel. Je le regardais alors intensément, fixement jusqu'à ce que ses traits se détendent et qu'il roule sur le côté impudiquement décontracté.

— À quoi penses-tu ?

— Il faut que j'aie le courage de tout quitter, me dit-il cette nuit-là. Il faut qu'on s'en aille. Je t'aime tant. Et si tu faisais un enfant ?

— Un enfant ?

— Oui. C'est la meilleure solution. Qu'en dis-tu ?

Je vis ses yeux fondre comme du beurre chaud et moi, mon cœur tachycardait. J'avais beau fouiller les méandres de mon esprit, je ne l'avais jamais connu aussi perturbé. J'avais eu peur d'un amour sans lendemain, voilà qu'il me proposait de l'emmouler, de l'enraciner, de l'enlianer autour d'un enfant. Nous restâmes silencieux de longues minutes et des dizaines d'anges tourbillonnaient autour du lit.

— Il faut que j'aille chez moi donner le change, dit François en se détachant de moi à regret. Ça devient chaque jour plus dur de faire semblant, de sourire alors que j'ai la tête ailleurs.

— Elle ne te pose pas de questions ? Elle ne se demande pas où tu passes tes journées, tes nuits ? Tu as tellement changé que ça se voit que tu es amoureux.

— Tous mes amis ont remarqué que j'ai rajeuni. Je ne sais pas ce qu'elle en pense.

— Je crois qu'elle a décidé de fermer les yeux.

Il haussa les épaules comme si je venais de remettre une dissertation hors sujet à un exa-

men de philosophie, posa un baiser sur mes
lèvres et ramena les draps sur moi.

– Reste encore un peu.

– J'ai du travail mon amour, supplia-t-il.
Laisse-moi partir, je t'en prie.

– Ma ding woa, dis-je dans une de mes
langues qu'il ne déchiffrait pas.

François marcha autour du lit en se bouton-
nant puis dit :

– Je voudrais te laisser mon corps en partant.

Mon bel et tendre amour,
J'espère qu'un jour, j'aurai le courage d'arri-
ver chez moi, d'expliquer à ma femme qu'elle
doit me laisser vivre, que ce n'est pas l'aban-
donner que de te rejoindre. La vie est si courte !
Dis-moi les mots que je dois lui dire, dis-moi
ce qu'il faut que je fasse. Je t'aime.

François

11

Le projet de partir commença à bourdonner en nous. Les plans les plus sophistiqués naissaient de notre esprit telles des fusées que nous lancions vers l'Afrique. « Et si nous construisions une école pour les enfants de la rue à Douala ? Ça serait mieux Ouaga... Qu'est-ce que tu en penses, mon amour ? » Ou encore : « Et si nous montions une fondation ? »

Nous achetâmes une montagne de livres sur les montages financiers. On les feuilletait fiévreusement. Nous n'avions pas d'argent, François était autant chargé de dettes que l'arche de Noé des créatures de Dieu. Ses mains étaient aussi vides que celles d'un paysan du Bangladesh.

L'argent n'était pas un problème. Je pouvais manger des nuages et boire du vent, je m'en foutais. Je tenais bon cap. J'avais la certitude que si le destin nous avait amenés à nous rencontrer sur le tard c'est parce qu'il avait décidé d'être clément à notre égard. J'avais une confiance inébranlable dans la route que nous allions décider de prendre.

— Vas-tu te laisser couillonner longtemps maman ? me demanda cet après-midi-là Lou en revenant de l'école et en expédiant son blouson sur le canapé. Tu penses vraiment qu'il n'a pas d'argent ? Tu m'étonnes ! Tu m'étonnes !

— Il m'aime, c'est tout ce qui m'importe.

— Il n'y a pas d'amour, il n'y a que ses preuves, c'est toi qui me l'as dit et répété. Tu veux un thé, maman ?

Elle se transforma en adolescente attentionnée, soutien d'une mère trop émotive... les ressorts cachés du vieux monde. Tandis que la bouilloire sifflait, elle énuméra les stars qui offraient à leurs compagnes des châteaux extravagants, des étoffes de rêves et des diamants niagaresques : « Quel thé veux-tu maman ? Darjeeling, thé vert ou thé à la mangue ? » Elle me servit une tasse tout en citant les amants qui dans les journaux affichent des sourires éclatants sur des yachts de luxe. Son ton à présent condescendant me signifiait tu es pathétique, c'est ça. Pathétique et conne. Conne et idiote. Idiote. Je le voyais à ses yeux qui m'observaient comme l'otarie sur son rocher. J'avais échafaudé les fortifications nécessaires pour soutenir ce regard, mais maintenant je me ratatinais, me repliais sur mes souvenirs pour ne pas laisser cette carnassière grignoter mon amour et le rendre pauvrement humain. Je ressuscitais ce voyage à Londres durant lequel François et moi avions bleui la grisaille du jour ; je convoquais nos réveils café avec des croissants de joie ; j'invoquais cette recrudescence d'énergie dans nos veines d'amants sans autre ascendant que notre engagement de nous aimer toujours, sans autre descendant que cette provision de tendresse que nous nous vouions. Nous vivions l'amour comme un des beaux-arts. Nous en extrayions les plus belles harmonies toujours à l'affût de la moindre fausse note. Nous en sortions les accords les plus doucereux pour le cœur. Nous en faisions jaillir les mélodies si sublimes qu'elles auraient tranquillisé un fou. Nous étions les griots de la tendresse, les tisserands des sentiments, les natteurs des émotions.

— Même les adolescents ne font pas comme vous, maman, dit Lou en pressurant un bouton sous son menton.

Puis elle continua à blablater en ces termes :

— Même à mon âge, on ne passe plus son temps à se dire je t'aime, à rester collés l'un à l'autre comme des sangsues. Même moi je sais que les je t'aime ne remplissent pas le caddie.

— C'est bien triste que ta génération ne rêve plus.

— Qu'en dit sa femme ? demanda-t-elle, bien décidée à lapider mes certitudes. Il n'est presque jamais chez lui. Comment explique-t-il qu'il disparaisse du mercredi au dimanche ? Il y a quelque chose de louche là-dedans.

— Ça suffit, Lou ! criai-je.

Exaspérée, je donnai un coup de poing sur la table :

— Ma vie privée ne te regarde pas, OK ?

La théière se renversa et se brisa en mille morceaux que je me mis à ramasser méthodiquement un par un, pour ne pas méditer ce que ma fille proférait.

— Excuse-moi maman, dit-elle en découvrant ses dents aussi éclatantes que des orchidées blanches.

Elle se précipita sur moi en sautillant tel un oiseau.

— Je ne voulais pas te froisser, ni te blesser, fit-elle en posant sa tête sur mes épaules. Mais cet amour te fragilise tant que j'ai envie de te protéger. Tu comprends ?

— Ne t'inquiète pas, chérie. François ne me fera jamais aucun mal.

— Je l'espère. Mais je m'interroge. Ça fait plus d'un an que vous êtes ensemble. Pourquoi n'officialise-t-il pas votre relation ? Ce n'est tout de même pas parce que tu es noire, maman. Excuse-moi, mais...

— Cesse d'être aussi méchante, Lou. Il m'aime et il est fier de moi.

— Je l'espère vraiment pour toi, maman. Mais pour certains Blancs de la vieille génération, nous sommes assimilables aux animaux. En Angleterre ou aux États-Unis, les Noirs sont respectés. Ils se sont battus pour ça. Il n'y a pas ce racisme sur leur capacité intellectuelle. Ici, beaucoup considèrent que nous sommes des imbéciles, bons qu'à balayer et à torcher leurs enfants.

— Pourquoi me dis-tu ça ?

— Les invités de François sont presque tous des Blancs et d'une certaine génération.

J'aimais cette révolte que j'avais semée en ma fille. Elle était tout en bloc, sans nuances. Elle pouvait se montrer très critique à l'égard des Africains en privé, cracher dessus, mais devant les autres, elle protégeait tout ce qui pouvait avoir trait au Noir : la magie, le tam-tam, le ngombo, les contes autour d'un feu de bois.

— Il faut que je me prépare, dis-je en regardant ma montre. Nous dînons dehors.

L'eau a beau picoter mon corps, ma tête se perd dans les interrogations laissées telles d'énormes crevasses par Lou. Que pense donc l'Épouse ? Pourquoi ne réagit-elle pas ? Comment peut-elle accepter de l'avoir laissé manger un gros morceau de sa vie et de le céder en festin à une autre femme ? Comment peut-elle admettre le déshonneur d'une telle répudiation ? À moins qu'ils aient un deal, me dis-je. C'est pour ça qu'elle avale des serpents à sonnettes ! Ça doit être un morceau de femme au sexe fracassé par la jalousie et au cœur anesthésié par les faire semblant. Qu'en reste-t-il ? me demandé-je, sincèrement désolée. Puis aussi vitement que je la plains, des pensées contradictoires m'assaillent. C'est pas le genre à marcher seule dans le crépuscule pour guetter le rayon vert, me dis-je. C'est pas le genre à s'égarer dans les bas-fonds de l'amour orgasmique. C'est une femme avec tout son esprit et qui a réussi à mettre son cœur sous ses pieds. Une femme anticœur, antiémotion et antisexe qui sonnera le glas lorsqu'elle se sentira en danger. Alors seulement elle rameutera ses troupes, chargera pour sauver le patrimoine familial.

Ces réflexions m'épuisèrent tant que je m'affaissai sur le lit, l'esprit vide. Je fus réveillée par l'arrivée de François. Très vite, il s'aperçut que quelque chose dysfonctionnait, que je n'avais pas coutume de dormir à cette heure-là, que je n'avais pas l'habitude de le regarder avec ces yeux fuyants. Il décela même un rictus de peur derrière mon sourire.

— Qu'est-ce que tu as ? dit-il en m'étreignant. Il était secoué comme une pirogue par la toux d'un vent névrosé. Qu'ai-je fait ? T'ai-je déplu ? Que dois-je faire ? Qu'attends-tu de moi ? interrogea-t-il d'une parole molle.

Il se torturait tant de me voir si fragile, que je décidai de taire mes angoisses, de continuer à marcher derrière lui, un deux, un deux, gardienne de notre bonheur.

— Je suis un peu déprimée, c'est tout.

La nuit avait déjà enveloppé Pantin et ses rues ruisselaient de lumière électrique lorsque la voiture démarra. François conduisait d'une main, tandis que l'autre serrait étroitement la mienne. Mes yeux accrochaient des immeubles familiers avec leurs façades poreuses. Des ficus argentés débordaient des balcons. Çà et là, des bureaux et des bureaux fermés, des ateliers de confection, des études de notaire, des frets, fermés. Là, là et là, des restaurants chinois qui ouvraient leurs portes gargantuesques aux regards des passants.

— C'est la tristesse et la désolation chez moi, dit-il soudain. La femme de mon beau-fils s'est tirée.

— Encore ?

— Nous faire ça après tout ce qu'on a fait pour elle ! On l'a aidée, entretenue pendant près de vingt ans ! Tu te rends compte ?

L'écho de la trahison faisait vibrer sa voix. Il égrena les malheurs familiaux, le beau-fils en dépression, l'humeur de sa femme au plus bas. Il ne suscita de ma part ni compassion ni indignation.

— Ma femme et son fils sont très liés. Ils se téléphonent plusieurs fois par jour alors qu'ils habitent deux immeubles jouxtants. Il ne pense qu'à son travail, rien d'autre ne l'intéresse. Et s'il est aussi désintéressé au lit que sa mère, je peux comprendre que sa femme en ait eu marre et se barre, ajouta-t-il avec un sourire.

Je souris aussi, heureuse qu'il se rende compte qu'il y avait plein d'anormalités dans ses propos, joyeuse qu'il contredise son verbiage.

Je restai silencieuse jusqu'au restaurant. Au fur et à mesure que nous avancions vers notre table les voix des clients baissaient puis reprenaient lorsque nous nous éloignions. Et bien avant que nous ne commandions deux douzaines d'escargots, deux rumstecks grillés et des crêpes flambées, je vomis les turbulences de mon esprit.

— Sais-tu ce que m'a dit Lou aujourd'hui ? demandé-je, avec un sourire.

— Quoi, ma chérie ? dit-il sans lever les yeux de la carte.

— Elle craint que tu n'officialises pas notre relation parce que je suis noire. C'est drôle, non ?

Ses yeux s'échappèrent quelque peu du menu, mais il ne répondit pas. Il déposa la carte sur la table et interpella le maître d'hôtel :

— Peut-on commander s'il vous plaît ? J'ai si faim !

Le garçon habillé comme un chat noir tacheté de blanc, nota les commandes. J'étais agacée qu'il fût là à cet instant, mais je n'eus d'autre choix que d'attendre qu'il s'en aille aux cuisines aboyer des ordres.

— J'ai eu mal à l'estomac la nuit dernière, dit François à mi-voix comme s'il se parlait à lui-même et qu'il en était content.

Il resta sans bouger, juste assis en face de moi. Comme s'il était à l'écoute de quelque chose qu'il était seul à entendre, seul à comprendre.

— J'ai l'air vieux, n'est-ce pas ?

— Non, mon chéri.

— Les yeux de l'amour font souvent mentir.

— Heureusement, sinon il n'y aurait pas d'amour.

C'est ainsi qu'il ferma la parenthèse au questionnement de Lou et que j'oubliai d'insister, à moins que ce ne fût la peur de savoir qui m'incitât à ne point m'y appesantir.

— Je t'aime, me dit-il, soudain le visage chiffonné. Quelle que soit la suite de notre histoire, sache que tu es la seule femme que j'aie aimée et que je t'aimerai toujours.

— Tu es sûr que tout va bien ? demandé-je, craignant malgré tout des pensées de derrière.

— Que dois-je faire ? Quelquefois, j'en veux à mes parents de m'avoir fait comme ça. Ils m'ont refilé anxiété et complexes. Il faut que j'arrive à m'en débarrasser.

– Tu y arriveras.

– Je sais. Et ça, c'est grâce à toi. Tu m'as tant apporté. Je suis en train de devenir un autre homme et j'aime cet homme-là. Alors que moi je ne t'ai rien apporté, je n'ai rien à te donner.

– Tu m'apportes douceur et tendresse. Ça n'a pas de prix.

– J'aurais tant voulu t'aider.

Je lui expliquai que je n'avais rien à foutre des fausses tendresses qui bouchaient la vue. Que les luxueuses voitures m'indifféraient ; que je me passais des télévisions à écran plasma ; que je n'aimais pas manger chez Maxim's et que ne pas posséder villa, piscine, ne me pousserait pas à rôder dans les rues comme un oiseau sans nid.

– Que veux-tu alors ?

– Si le destin pouvait améliorer le cœur des hommes, qu'il y ait plus d'amitié et de fraternité dans le monde, j'en serais heureuse. Non, finalement, je m'aperçois que je ne veux de la vie que ton amour.

— Tu es une femme exceptionnelle, Andela. Je t'aimerai jusqu'à ma mort.

Il me couvrit de joliesses, de sucreries et de gâteries, cette petite monnaie marquée imbécile avec laquelle les hommes paient les femmes, ces petits mots non cotés en bourse qui servent de mors et nous enlèvent le mordant de la lucidité.

12

L'alliance crépitait dans le rouge de son écrin. Elle brillait telle l'argenterie d'une grande famille, vivante, chaleureuse, pourvoyeuse de rêves ondoyants. Elle m'amarrait à d'autres rites maritaux où le oui solennel lancé à la question rituelle du maire n'avait plus aucune importance. Nous avions déjà dépassé les frontières de l'interdit, nous avancions depuis l'éternité en dehors de toutes les règles du jeu. Des étoiles qui avaient choisi de changer de destination entraient par la fenêtre et nous éblouissaient. Je respirais fort, tandis que François, le visage épanoui, prenait mes doigts et y faisait glisser l'anneau.

– Tu aimes ? Je voudrais tellement te convaincre de la profondeur de mes sentiments.

Il n'y avait pas d'invités à la cérémonie. Il n'y avait pas de témoins au mariage. Il n'y avait pas de champagne, ni ces fanfaronnades qui remplissaient les journaux. Nous n'étions que des enfants simples d'esprit qui dansions la vie en rose, les feuilles mortes, et qui installions un ordre sur le désordre de notre pauvre amour. Nous n'étions que des enfants qui écrivions une histoire où nous étions les seuls et uniques héros. Nous n'étions que cela, des enfants qui avions décidé d'être la totalité, Dieu et sa création, les ordonnanciers et les sujets, les généraux et les soldats de notre propre destin.

— Cette alliance signifie que tu es la femme de ma vie, Andela, me dit-il les yeux débordant d'émotion.

Il ôta l'alliance à son doigt, la fourra dans sa poche, puis ajouta :

— Quoi qu'il se passe, ne l'oublie jamais.

J'étais bouleversée. Il venait de m'installer sur le trône de son cœur, de me restaurer dans la plénitude de mes droits même si aucun texte sacré, aucune administration n'avait entériné la cérémonie. La parole bien ourlée sur nos lèvres consacrait notre amour ; nos gestes, nos regards, ce besoin l'un de l'autre en étaient le socle.

— On mourra ensemble.

— Oui, dis-je. Ensemble dans un lit... dans très longtemps.

Quelquefois, alors que la pluie tambourinait sur le toit et s'écoulait en filature sur la vitre, il m'arrivait de regarder par la fenêtre, me disant qu'il me plairait que nous courions sous la pluie, que les gouttes d'eau dans nos cheveux et sur nos visages nous débarrasseraient de son passé.

— As-tu soif ? Veux-tu une orange pressée ? Un verre d'eau ?

— Non, attends, j'y vais.

— Non, j'y vais.

— Bon. Non, attends, ne te lève pas. C'est mon tour.

— J'en ai pour deux minutes.

C'est ainsi qu'on vivait, parce qu'on n'avait pas d'autre objectif que de rester l'un près de l'autre. On marchait sous les bois dans les parcs la main dans la main, nous cherchant continuellement des yeux, sans nous lâcher, même lorsque les gens se pressaient dans les allées. Et lui qui savait parler à tout le monde.

— Je vous présente mon épouse, disait-il quelquefois à ses fans.

Ils taisaient leur curiosité, parce qu'ils voyaient la lumière vibrer dans nos yeux.

— Tu as entendu ? demandait-il le visage luisant de joie. Je t'ai présentée comme ma femme.

Il était fier de cette estocade qu'il donnait à ses repères familiaux, heureux de desserrer l'emprise de son éducation petite-bourgeoise. Son imaginaire mercantile refluait devant la déferlante des émotions et se mourait de ce débordement.

— J'ai toujours été ta femme, disais-je.

— Je le sais, je le sais.

Je l'entraînais dans des restaurants africains sans prétention d'où il se régalait d'un poisson au riz et se pimentait la langue avec un jus de gingembre. Hommes et femmes sautillaient de plaisir à le voir. « Monsieur François Ackerman, on est si heureux de vous rencontrer. » Ils étaient si imbécilement heureux qu'ils en oubliaient, face à la star, la plate misère de leur quotidien. En extraordinaire conteur, François les enivrait de bribes d'anecdotes drôles. Et parce que nous n'avions pas d'autre but que de rester l'un près de l'autre, il m'accompagnait de plus en plus souvent pour mes conférences à l'étranger. Les Cygnes des lacs londoniens trompetaient à nous voir tendrement enlacés ; les Berlinois s'extasiaient à la vue de nos entrelacements et les Florentins dissertaient avec volubilité tant notre couple leur rappelait le bon vivre de la Renaissance. Quant au soleil de Ouaga, il fut si étonné de nous voir ensemble qu'il larmoya : « Impossible n'est pas français, vraiment ! Impossible n'est pas français. »

François s'asseyait au fond de la salle. Devant un parterre d'intellectuels, habillée d'un tailleur strict, les yeux chaussés de lunettes, il m'écoutait broder le canevas de l'Afrique mère que je ponctuais de sentences graves : « À ce rythme, nous ne nous en sortirons jamais, il n'y aura bientôt que les squelettes pour témoigner qu'autrefois cette terre a été le berceau de l'humanité. » Je nouais et dénouais mes connaissances en le regardant de biais, puisque j'étais née pour veiller sur lui.

— C'est très intéressant, disait François, et je voyais à ses yeux qu'il n'avait pas tout compris. J'apprends tant de choses depuis que je te connais.

Mais dans cet univers d'intellectuels qui rêvent grand mais n'ont ni commencement ni avenir, on se penchait en douce vers moi : « Qu'est-ce qui t'arrive Andela ? demandait-on. Il t'a ensorcelée ou comment ? » Des gens riaient de nous à s'en briser les côtes : « Ils sont devenus moutons l'un pour l'autre », chantonnaient-ils. Puis ils concluaient : « C'est parce qu'ils n'ont pas connu l'amour dans leur jeunesse ! » Et leurs rires repartaient de plus belle, en flambée, oui une flambée qui faisait fondre ce qui restait de défensif en nous.

François bouillait dans la casserole de la tolérance universelle : « J'aime ton peuple, Andela. » Il mijotait dans l'huile chaude de la fraternité républicaine : « On gagnerait tant, nous Blancs, à avoir votre sens de la solidarité. » Il se réincarnait en homme ouvert à tous les vents, à tous les risques. Il proposait ses services pour tel enfant du neuf trois exclu du système scolaire qu'il essayait de faire réintégrer dans un établissement ; pour telle adolescente au cerveau rempli d'air mais aux jambes si rapides qu'il convenait de la faire accepter par un club de sport.

Il était mort, l'homme-chat ! Bien crevé, l'homme-chat ! Décédé, l'homme-sans-piment ! Disparu, l'homme-lait si dégoulinant en dedans qu'il n'était bon qu'à respirer les aisselles rances d'une femme sans saucée !

Mais Lou ne partageait pas mon optimisme et sa méfiance à l'égard de François nous attristait : « Elle ne m'aime pas », constatait-il la bouche amère, parce qu'il aimait que la moindre particule élémentaire l'aimât. Qu'une adolescente du neuf trois le regardât comme le pet d'un cafard le traumatisait tant qu'un après-midi, vêtu d'un caleçon blanc et d'un tee-shirt chiffonné, il s'assit au bord du lit, posa ses mains sur ses joues.

— Elle me déteste parce qu'elle croit que je lui vole sa mère, dit-il, et un léger vent souleva le rideau de ses cheveux.

— Mais non, chéri. Lou fait sa crise d'adolescence, c'est tout. Rassure-toi.

— Tu refuses de voir la réalité, Andela.

Je passai mes mains autour de ses épaules pour le rassurer. J'essayais de nous protéger en ne donnant aucune prise aux turbulences de ma fille. Je le voyais bien, qu'elle voulait nous faire tomber dans un trou sans fond. Certains jours, elle cachait mes bijoux ou volait mon porte-monnaie afin que les puces de la colère me mordent. Certaines nuits, elle disparaissait sans laisser trace pour briser notre sérénité. L'anxiété me tenait jusqu'à des heures à vous sortir les yeux de la tête. Je téléphonais aux parents des amis, aux amis des amis, aux voisins des amis. « Non ! Non ! On ne l'a pas vue… On ne sait pas… Essayez donc chez Aïssatou peut-être que… Bonne chance, madame. »

Mon corps se tordait sur le canapé : « Pourquoi fait-elle ça ? Pourquoi ? » François me prêtait son épaule pour me soutenir. Il était prêt, disait-il, à ameuter toute la police de France. Il téléphonerait au président de la République si c'était nécessaire, afin que je retrouve mon sourire. Il irait à mains nues arracher Lou dans la gueule du loup s'il n'y avait d'autre solution. Ensemble, on fouillait ses cahiers. On lisait son agenda. On déduisait. On conjecturait. On récoltait des informations à partir des petits riens pour retrouver le tracé de ses errances.

— Si on avait un enfant, se comporterait-il comme Lou ? demandait François angoissé.

— J'en sais rien, chéri. C'est la loterie. On peut tirer un bon ou un mauvais numéro, c'est selon. Mais, malgré tout, on les aime.

— C'est épuisant, les mômes.

Mais alors qu'on n'en pouvait plus, fatigués, les yeux hagards, serrés l'un contre l'autre comme pour empêcher la tristesse de s'implanter, on entendait un bruit de clef dans la serrure.

— Lou ! criai-je, en me précipitant sur elle.

Ma robe de chambre bleue virevoltait autour de mes chevilles. Mes cheveux s'échappaient en frisottis sur ma nuque.

— As-tu vu l'heure, ma fille ? Où étais-tu ? J'étais si inquiète.

— Prendre l'air. C'est interdit ? répondait-elle invariablement.

Puis, sans l'ombre d'une explication, elle filait dans sa chambre.

C'est ainsi que je décidai de la mettre en

pension, moi aussi, sans l'ombre d'une explication.

– C'est à cause de François que tu m'envoies
en pension, siffla Lou. Ne mens pas.

– Mon rôle, c'est de te sauver malgré toi.

Elle me regarda comme si j'avais été une
chienne pleine de puces :

– Tu ferais mieux de sauver ta peau avant la
mienne, persifla-t-elle. Si tu ne t'es pas encore
rendu compte que ton François n'abandonnera
pas son confort pour l'amour, alors, t'es qu'une
imbécile.

Je ne pensais plus à l'Épouse. Ses possibles
intentions que je ne pouvais démêler s'étaient
roulées en boule dans les confins les plus obscurs de ma mémoire. Plus d'un an et demi, et
elle n'avait manifesté aucune parole ni geste
pour témoigner qu'elle souffrait de ce désa-
mour officiel. « Elle s'en fiche, me disais-je.
Elle se contente de tenir les cordons de la
bourse, et moi, des bonnes bourses », réflexion-
nais-je encore. J'en arrivais même à oublier
qu'elle était capable d'orchestrer les rouages
tumultueux d'un chantage.

Tandis que Lou jouait avec les chapelets des

religieuses censées la ramener dans le droit chemin, François et moi reprîmes une vie calme,
juste secouée par les trous d'air des avions qui
nous emportaient çà et là, juste remuée par le
philtre d'amour que nous concoctions chaque
jour. Nous jouissions à pleins caddies des délices du monde et attirions à grands traits la
lumière. Que de bonheur ! Que de bonheur !
Mort, mort, l'homme-chat ! Bien crevé
l'homme-lait et j'étais heureuse de porter ses
chemises. François riait à me voir, parce
qu'elles étaient trop grandes pour moi, ne ris
pas, mon amour, c'est ma manière à moi de
rester agrippée à ta peau.

Cet après-midi-là, un soleil chaud entrait
par la fenêtre. Nous sirotions un thé à la
cuisine. Agendas, stylos, feuillets pleins de sa
grosse écriture maladroite et feuilles vierges
s'éparpillaient çà et là sur la table. Je les regardais en me demandant si je serais capable de
décrire mes sentiments comme je le faisais
autrefois, si ma prose serait bonne, pas trop
cul-cul-la-praline... et puis si, parce que les lec-
teurs aimaient les histoires à l'eau de rose. Soudain, un cauchemar s'emmêla aux cils de Fran-

çois. Il frotta ses yeux comme s'il tentait de le chasser et me dit :

— Quelqu'un a volé ma carte bleue pendant notre séjour en Italie.

— Ah oui ? Il faut faire opposition, mon amour.

— C'est ma banque qui vient de m'en informer. La personne a dû recopier ma carte. C'est un coup classique là-bas. Il retire de l'argent régulièrement, sais-tu où ?

— Non, dis-je.

— À la banque juste en dessous de chez moi.

Mes yeux devaient être exorbités, sans doute grinçai-je des dents et serrai-je fortement mes poings tandis que je cherchais à attrouper mes pensées.

— Il n'est pas très intelligent, ton voleur, dis-je, acide. Il suffit de demander à ta banque l'heure à laquelle l'argent a été retiré. Grâce aux caméras, on pourra coffrer le type.

— Tu as raison, dit-il.

Quelque chose venait d'être mis en péril, je le savais, je le sentais. Je secouai ma tête et François me parut aussi naïf que le cul d'un nouveau-né. Quel crétin ! me dis-je. Nous étions récemment allés en Italie... L'épouse le savait. Elle avait dû subtiliser sa carte bleue, retirer de l'argent pour lui faire croire que j'étais une voleuse. Quelle conne, souris-je. Quelle macaquerie, souris-je encore. Elle n'a même pas eu l'intelligence d'aller retirer des sous ailleurs qu'en bas de son immeuble. Mais je faillis passer par une infection de l'âme et une dépression intellectuelle lorsqu'un soir, alors que nous nous apprêtions à dormir, elle téléphona.

François décrocha et, au fur et à mesure qu'il l'écoutait, son visage se torturait, des rides y apparaissaient plus profondes. Puis d'une voix que le chagrin faisait chavirer, il m'annonça :

— Max a été empoisonné.

Toute l'affection qu'il portait à son chien le métamorphosait et j'eus l'impression qu'en l'espace d'un cillement, ses cheveux avaient blanchi, son dos s'était voûté comme celui de ces vieux assis au coin d'un feu en train de délier les lianes de leurs souvenirs. Son menton tremblait de larmes retenues.

— Si j'avais été là, il n'aurait pas avalé ce

poison, gémit-il. Que vais-je devenir s'il mourait ? Ah, si seulement... !

Je n'arrivais pas à parler. J'avais la sensation que ma langue s'était collée à mon palais. Il me regarda comme si ma présence lui causait une douleur physique.

— Il faut que je parte.

— Oui, va, dis-je. Max s'en sortira.

Tandis qu'il courait porter son chien chez le vétérinaire — quelle violence ! —, j'admirais l'Épouse. Elle venait de marquer son premier but puisqu'il dormirait ce soir à côté de son chien — quel stratège ! Je m'étranglais d'un rire nerveux pour décrasser mon cerveau. Quelle violence ! Elle avait cru, la Dompteuse, que le chien avait mangé chez moi, pas de chance, pas de chance ! Max avait passé la journée avec nous, mais exceptionnellement n'avait pas mangé chez moi, ni au restaurant d'ailleurs... Quelle claque ! Ainsi donc, elle avait décidé de briser le cou à notre amour en m'accablant de mille maux. Voleuse. Empoisonneuse. Sorcière. J'aurais voulu lui dire que nous n'étions pas des rivales, qu'une femme ne volait pas un homme à une autre. Je ne le fis pas, parce qu'elle incarnait ce que je ne comprenais pas : la femme occidentale et bourgeoise, capable de faire croire à un homme qu'elle n'a pas de douleur, aucun désir excepté celui de le porter à réaliser ses ambitions, à traverser des gouffres, à déminer pour lui des terrains minés. J'admirais ces femmes qui conjuraient le destin en allumant des bougies à l'église, ces femmes qui savaient parler de dettes, d'agios, des dommages et intérêts. Oui, l'Épouse symbolisait ce chef-d'œuvre de femme auquel les hommes aux dents plus longues qu'un plancher devaient leur pouvoir, leurs richesses, leur carrière et leur tranquillité.

13

François conduisait en klaxonnant, en mau-
dissant les embouteillages :

— Nous allons rater l'avion, geignait-il.

— C'est pas grave, mon chéri. On prendra le
suivant. Il y a pleins de vols pour Amsterdam.

Rien de grave, nous étions enfermés dans
l'utérus tiède de la voiture et rien n'était grave,
même pas ces informations à la radio distillées
par la voix nasillarde d'une journaliste qui
racontait que des savants cachés dans des labo-
ratoires des pays pauvres, fabriquaient des
bombes à retardement, des bombes à fragmen-
tation et des bombes atomiques. Le monde
pouvait disparaître, je m'en fichais. J'étais
sereine d'autant que la pluie qui battait sur les
vitres me faisait penser que ce temps humide
était propice aux amours. « J'aime pas être en

retard », insistait François en regardant sa montre. De temps à autre, son esprit se concentrait sur les voitures arrêtées comme si par télépathie, il aurait pu les soulever dans les airs, nous dégageant la route.

Je savais que son anxiété pouvait le paralyser ou le jeter dans le trouble. Je ne voulais plus qu'il fût ce qu'il avait été, un homme stressé et pétrifié par l'angoisse. Je posai ma tête sur son épaule et l'odeur de sa peau évoqua une myriade d'émotions et de plaisirs passés.

— Je t'aime, dis-je.

— Moi aussi. Mais il faut...

— Chut ! C'est pas grave si nous rations l'avion. J'ai avec moi tout ce qu'il me faut pour être heureuse, quel que soit l'endroit.

— Je sais mon amour. Mais j'ai envie de passer ce long week-end avec toi, coupé du monde, sans téléphone, sans autre préoccupation que celle de t'aimer.

— Moi aussi.

— J'ai toujours l'impression que le temps nous manque, dit-il. Il faut que je réussisse à me libérer de mes contraintes pour pouvoir vivre totalement à l'aise avec toi. Chaque jour je taille les branches de l'arbre gigantesque qu'est ma vie après plus de trente ans de vie de couple. Mais c'est si dur ! Je réussirai à l'arracher, sinon autant mourir ensemble.

Cinq cents fois, il m'avait dit qu'il vaudrait mieux périr ensemble. Qu'il serait très saint de s'éteindre dans les bras l'un de l'autre après avoir cueilli toutes les saveurs du monde. Ce désir de suicide le prenait souvent à la sortie de l'extase lorsque nos corps désarticulés suintaient de plaisir : « J'aimerais tant mourir là en même temps que toi », s'exclamait-il avec l'euphorie des nouveaux convertis en se blottissant contre moi. Il posait sa tête chiffonnée entre mes seins. Je caressais la paillasse mouillée de ses cheveux, sa colonne vertébrale macérée de nos odeurs, jusqu'à ce qu'il retrouve sa lucidité, jusqu'à ce qu'il oublie cette fanfaronnade. Alors seulement, il s'endormait.

L'autoroute se dégagea et François roula à tombeau ouvert. Nous étions en avance et l'aéroport grouillait de monde. On le reconnaissait derrière sa casquette et ses lunettes noires. On lui demandait un autographe. Il signait des bouts de papier, souriait devant les objectifs des « une photo avec moi s'il vous plaît », que quémandait tel passant. Il me faisait signe pour que je m'approche, m'associe au cirque. Je secouais la tête, les manèges m'avaient toujours donné le vertige. Nous étions heureux parce que notre relation était un péché condamné par l'Église catholique apostolique, interdite par la loi et le bon sens bourgeois. Je tenais à ce faux mensonge. J'aimais ça.

Nous arrivâmes à Amsterdam et je fus étonnée d'y voir tant et tant de vélos que je me crus à Ouaga, n'eût été l'alignement parfait des immeubles en béton, cet air sans odeur, presque sans vie. Il y en avait des qui ressemblaient à des autruches déplumées à siège bas, des qui ressemblaient à des zèbres sortis de je ne sais quelle savane tropicale, des longs à plusieurs pattes qu'on eût dit les chenilles rouges. Et ces vélos chargés de leur conducteur sillonnaient les rues comme s'ils avaient été prioritaires, comme s'ils avaient été le sens et l'homme l'outil. Je dégustais à petites gorgées l'étrangeté de ces images et ma bouche s'émerveillait à la perspective des jours et des nuits pleines à venir.

Le taxi s'arrêta devant un hôtel qui avait été autrefois un château. Des drapeaux flottaient à sa devanture comme pour fêter la victoire d'une mondialisation à deux vitesses où les plus riches s'engraissaient et les pauvres mouraient sans susciter l'émoi. Des hommes engoncés dans des costumes noirs attendaient je ne sais quoi, devant le palace. Des gardiens harnachés d'uniformes bariolés exécutaient des courbettes : « Welcome, Willkommen, bienvenu », tandis que çà et là des femmes aux derrières posés dans de magnifiques fauteuils bordeaux prenaient des poses qui mettaient en valeur leurs bijoux.

J'avais hâte de me retrouver dans la chambre et je ne fus pas déçue. Elle était vaste avec de larges fenêtres qui donnaient sur un canal où circulaient bateaux-mouches, barques et vedettes. J'esquissais des pas de danse, riais, rangeais nos bagages et me déshabillais.

François était allongé sur le lit tout habillé, ses mains soutenaient sa tête. Un soleil malheureux entrait par la fenêtre et chatouillait son visage. J'enlevai mes vêtements dans un geste de nuage. Il observait mon corps déjà plein de désir un sourire béat sur ses lèvres cerise. Ma jupe virevolta et atterrit sans défense sur la moquette et, l'instant suivant, mon chemisier la rejoignit. Quand il n'y eut plus rien d'autre à enlever que cette combinaison rouge, ces bas nylon et ces escarpins à talons hauts, je m'approchai de lui, aussi scintillante qu'une foulitude de lucioles dans la nuit.

Je m'allongeai sur lui et mes bras encerclèrent sa tête. Je le fixai de longues minutes, muette, juste le regarder, m'inscrire en lui. Des mouettes criaillaient au loin, je pouvais les entendre, un pêcheur prenait la mer, je pouvais le voir monter dans sa barque et je me dis que la vie était très courte, alors je me collai à sa bouche, l'embrassai. Il y avait des flammes sur ses lèvres et la chaleur se faisait plus forte, oui, prends-moi mon amour, je suis si ouverte à tant de bonheur que j'en accepte les blessures, tu sens ma peau, dis, ma peau libre et nue comme le crépuscule, dis, tu m'aimes dis, encore, encore, me sens-tu prendre l'eau, dis, je me noie, je me noie, je me noie, j'aurais aimé te rencontrer plus vieille, broder près d'une cheminée en attendant ton retour, ne t'endors pas, ne me laisse pas, à quoi penses-tu, ne ferme pas les yeux, ne t'en va pas dans le sommeil, il n'y a pas plus d'une journée sur terre, recouvre-moi de ta main, enferme-moi dans ta poitrine, comme ça, oui.

Nos sangs retournèrent à leur place et la terre redevint solide. Du bout de ses doigts, il parcourut mon corps du visage jusqu'à l'extrême pointe de mes pieds, puis ses mains remontèrent sur mes hanches, s'y attardèrent.

— Tu as beaucoup grossi, mon amour.

— C'est à cause de toi. Tu ne cesses de me nourrir. À ce rythme, je finirai aussi énorme qu'une baleine.

— Une baleine remplie de miel rien que pour moi. C'est vrai que tu as beaucoup changé depuis notre rencontre. Tu es beaucoup plus calme.

Oui, j'avais changé. François m'avait apporté une paix que je n'avais jamais connue.

Il m'avait déviée de cette trajectoire de pasio-
naria qui me collait à la peau. Je m'étais paci-
fiée. Sa présence avait stoppé net l'envol de mes
colères ; son amour avait brisé l'afflux violent
de mes indignations. Je n'éprouvais plus le
besoin de combattre ; l'envie de lutter m'avait
désertée et lorsque le remords pointait son nez,
je me disais : Ça a servi à quoi tes combats,
Andela ? Les dictateurs africains continuent à
régner tristement accrochés à leurs lambeaux
de privilèges. Les pères incestueux se livrent
toujours à leurs pulsions archaïques et les
jeunes femmes-soleil bradent encore leurs roses
noires à quelques vieux. C'est pas toi qui vas
changer le monde, concluai-je, négociant ainsi
avec ma conscience le prix de ma reddition
sans gloire.

Nous restâmes allongés sans nous parler,
nous voulions seulement être tranquilles et pai-
sibles tandis que les heures s'effilochaient, que
le soleil terminait sa ronde, que la nuit s'appro-
chait lentement en filaments violets.

Je me levai à tâtons, le regardai dans la
pénombre, heureux et détendu. L'émotion
éclatait en moi telle une bulle, une émotion

que je n'avais jamais ressentie ni dans la décli-
naison des couleurs du crépuscule, ni dans les
fonds luminescents des eaux, ni dans le vert
des forêts, ni même en lisant Rimbaud, ni en
contemplant le sourire de Mona Lisa.

– J'ai faim, mon amour. Veux-tu qu'on sorte
dîner ?

– C'est nécessaire ?

– Pas vraiment. On pourrait toujours appeler le room service, faire monter un plateau.

C'était mieux pour ne pas perdre une
minute sur la vie, elle si courte. On n'avait que
quatre jours... Quatre jours. À sentir battre
son cœur au rythme du cœur de l'autre.

– Et si on allait visiter le musée van Gogh,
mon amour ?

– Ouais, ouais. Chouette !

– Et si on allait visiter la maison d'Anne
Frank ?

– Ouais, ouais. Chouette !

– Et si on se faisait une promenade en bateau
pour visiter la ville ?

– Ouais, ouais. Chouette !

Ces propositions étaient des histoires, tout
ça des histoires, une infusion de temps perdu.

Qu'avions-nous à sortir, hein ? On était trop occupés à nous reconnaître perpétuellement, à nous regarder, à faire le tour de notre amour en cercle, en rond, en boucle et comme toute circonférence se referme au point où il est parti, nous revenions toujours au point de départ. La nuit tomba, le jour se leva, la nuit tomba et le jour se leva. Nous commandions nos repas avec une vague langueur, en nous léguant nos souvenirs d'enfance, déversant l'un sur l'autre nos actes manqués, nos litanies malhabiles, nos angoisses, nos espérances et à assouvir notre amour qui était toujours affamé.

J'étais heureuse et tranquille et en paix. C'était moi cette femme molle, allongée sur les draps de lin telle une mouche engluée dans un pot de confiture. J'avais conscience de me ramollir. J'étais devenue aussi paresseuse que ces petites tortues des forêts tropicales. J'ouvrais la bouche et avalais les pépins des plaisirs que François m'offrait. Je respirais au rythme de cymbales de joie dont il accordait les sons. J'étais heureuse, égoïstement heureuse et je vivais ce bonheur nombriliste avec la légèreté d'une plume dansant dans le vent.

— Sais-tu que tu es la première femme avec qui je passe plusieurs jours rien qu'à deux ? me demanda-t-il la veille de notre retour à Paris. Avec toi, je ne m'ennuie jamais.

— Connais-tu la légende de la moitié d'orange ? fis-je mystérieusement.

— Non.

— Je te la raconterai une autre fois car, depuis que je te connais, la vie me parle dans une langue que je n'ai pas encore pris le temps de déchiffrer, dis-je en bâillant. Approche, approche, oui, comme ça...

— C'est le danger de notre histoire, me souffla-t-il à l'oreille en se blottissant contre moi. Je ne suis heureux et ne me sens en sécurité que lorsque je suis près de toi. Quand tu n'es pas là, je me sens fragile, si fragile...

14

Tout se décompose, oui tout se décompose, le processus est lent et à peine perceptible, mais tout finit toujours par se désagréger, se désintégrer. L'hiver céda sa place au printemps, nous ne parlions plus de l'empoisonnement de Max, de la carte bleue volée. Nous avions classé ces incidents comme ces affaires criminelles non élucidées. Mais un jour alors que je préparais un poulet bicyclette aux champignons, François s'approcha, insinuant et malveillant.

— J'espère que c'est pas à cause de toi que mon ami Sanguini ne veut plus me parler, dit-il, et je sentis des épines pousser sous ma peau.

— Pourquoi veux-tu que ce soit de ma faute ? demandé-je et une odeur de poivre vert me fit éternuer. Je n'ai rien à voir avec cet homme, à part que je ne partage pas ses idées politiques.

Pour la première fois, il passa devant moi plusieurs fois en proférant des choses incompréhensibles comme celles qu'on entend lorsqu'il s'apprête à pleuvoir. Il manqua piétiner les pattes de Max et me bouscula sans me regarder. Il mangea le savoureux poulet par devoir et bien avant que le soleil ne se couche, il s'affaissa sur le fauteuil, ferma ses yeux :

— Pourquoi ne me rappelle-t-il pas, selon toi ? me demanda-t-il. Qu'ai-je fait de mal ?

Je pressentis que les démons de l'égolâtrie le travaillaient :

— La dernière fois qu'on s'est vus, reprit-il, il m'a conseillé de retourner avec ma femme, qu'un divorce pourrait être fatal à ma carrière. C'est mon ami, tu comprends ?

— Il y a des amitiés dont il conviendrait de se passer, dis-je d'un ton plat. Les idées que développe cet homme dans les débats sont dangereuses.

— J'aime qu'on m'aime, dit-il pathétique. Puis, il pourrait devenir un des hommes les plus importants dans les prochaines années.

— Je sais. Mais à force de vouloir plaire à tout

le monde, on finit un jour par être détesté de tous.

Et ce fut tout.

Les restaurants commençaient à sortir des tables en plein air et les vieilles corpulentes s'éventaient avec leurs mains comme si ça servait à quelque chose. Les arbres bourgeonnaient et François et moi en étions encore à nous regarder par la fenêtre de notre âme. Nous nous trouvions encore au cœur de la tendresse, à nous répéter, mon ciel, mon étoile, ma lumière, ma vie, et les jours qui passaient laissaient les choses telles qu'elles étaient depuis le commencement.

Il faisait chaud cette nuit-là, très chaud. « Je dois voir mon médecin très tôt », m'expliqua François. J'avais l'habitude de ces contrôles médicaux qui le tenaient éloigné. « Ce n'est qu'une nuit mon amour, je t'en prie », suppliait-il lorsqu'il voyait mon visage se fermer. Ne t'en va pas, mon amour, mes pupilles se dilatent en ton absence, je n'arrive pas à fermer l'œil lorsque tu n'es pas là, attends, attends, embrasse-moi, là là, là oui, oui, plus bas, c'est ça.

Il s'en alla et j'en profitai pour inviter quelques amies avec qui j'aimais échanger les choses simples, mais où brusquement, on ne sait pourquoi, au cœur de cette insouciance, quelque chose de grave jaillissait de nos conversations avec d'autant plus de fulgurance qu'il n'était pas prémédité.

Toute la journée, j'avais procédé à des nettoyages et à des rangements. S'il vous plaît, arrêtez, pas comme ça... ne poussez pas les meubles contre les cloisons, laissez toujours un passage pour l'esprit de ma grand-mère, là, là oui, derrière les fauteuils, n'oubliez pas de poser sur la table les couverts pour nos morts. J'avais cuisiné du ndolé, frit des ignames, pilé des plantains, grillé deux énormes tilapias et la maison jetait une odeur de bonne nourriture qui grattait le palais des voisins.

Il était huit heures quand mes invitées arrivèrent. Elles s'étaient toutes composé une aura de mystère et de volupté. Antoinette arborait une coiffure genre poule mouillée ; Nadine, sous son long manteau, portait une tunique transparente sous laquelle on apercevait un string ; Marie-Jo exhibait avec vanité un bou-bou africain emperlé pas plus long qu'une jupette. C'était nos soirées entre filles où les rires et les futilités branchées nous permettaient d'oublier les épisodes douloureux qu'on gardait pour soi.

Je sortis les boissons, posai les mets sur la table et mis la musique de Fela Ramson Kuti pour ouater l'ambiance. Entre deux bouchées, nous dansions et chantions, colorant l'espace de nos éclats de rire et nos langues faisaient le tour des couples que nous connaissions en de croustillantes anecdotes. Nous venions à peine de commencer à savourer le tilapia lorsque je sursautai à la sonnerie de mon portable. J'eus un mauvais pressentiment. J'aurais dû suivre mon intuition, elle m'aurait peut-être évité tout ce chavirement.

— Excusez-moi, excusez-moi ! lançai-je à mes amies, en m'éloignant.

— Michelle ? demandé-je surprise en enten-dant la voix au bout du fil. Comment vas-tu ?

— Bien, bien... François m'a chargée de te dire qu'il ne reviendra pas. Qu'il a choisi de rester avec sa femme. Il a besoin d'elle pour son travail, tu comprends ?

— Mais qu'est-ce que tu racontes ? C'est à lui de me dire ça.

— Il est en morceaux. Sa femme sait tout. Elle est au courant de tout.

— Elle est au courant de tout depuis le début. On ne s'est jamais cachés que je sache.

— Je sais. Mais cette histoire a trop duré, elle doit s'arrêter. Tu ne peux pas comprendre. Nous sommes passionnés tous deux par notre métier. Il t'expliquera, mais par textos seulement. Il n'a pas la force de te revoir. Bon courage.

Je devais avoir la figure d'une qui vient de manger de la ferraille rouillée lorsque je rejoignis mes amies. J'étais absente à mes propres yeux. Ainsi donc, « on » nous avait laissés jouer dans la cour de recréation comme des enfants et, sifflet aux lèvres, on nous indiquait à présent qu'il était l'heure d'accomplir ses devoirs. Je me laissai tomber sur le siège, le regard fixe. « Qu'as-tu ? me demandèrent mes amies désemparées devant ce changement d'humeur. Une mauvaise nouvelle ? » interrogèrent-elles en fronçant leurs sourcils. Je colmatai mon cœur : « Rien, dis-je. Ça va aller. »

Elles n'insistèrent pas, firent celles qui ne se préoccupaient pas des problèmes d'autrui. « Andela, c'est pas pour des noix qu'on est amies, tu piges ? » me dit Nadine en m'embrassant au moment de me quitter. « Mon standard personnel est ouvert pour toi nuit et jour », m'assura Marie-Jo. Quant à Antoinette elle se contenta de dire : « Courage, Andela ! » parce qu'elle avait souffert de l'amour depuis sa naissance. Un fiancé lui avait promis mariage et disparu, fflut, comme fumée au vent ; elle se souviendra toujours du regard ahuri de son époux lorsqu'elle l'avait surpris partouzant dans l'alcôve nuptiale – « Viens donc fricoter avec nous », lui avait-il dit en lampant le sexe d'une jeunette –, et un éternel étudiant pour qui elle s'était ruinée l'avait quittée dare-dare une fois diplômé. Elle avait tant humé cette saloperie de trahison, d'abandon, de duperie, qu'elle pouvait repérer dans ma figure ce quelque chose d'une bougie éteinte spécifique aux femmes malheureuses.

201

Cette nuit-là je ne dormis pas, la lune dansait sur les toits et mes sentiments tournés du mauvais côté m'empêchèrent de fermer les yeux. François ne m'appela pas et je dégageais une forte odeur de souffrance. Comment était-ce possible ? Quelle pression, quel chantage pouvait avoir assez de force pour balayer un amour comme le nôtre ? C'était impossible, infaisable, inextricable, impensable. Même Dieu en personne ne peut pas goupiller ça. C'était au-delà de l'entendement.

Le soleil se leva et un corbeau se posa sur le toit. Va, vole, lui ordonnai-je. Demande à François s'il a décidé de s'en aller planer avec les aigles dans les ciels du cynisme. Je veux savoir. Je veux savoir. Cours, cours petit corbeau, dis-lui que mon cœur fout le camp, que déjà des asticots commencent à avoir raison de mes nerfs. Le fit-il ? Je n'en sus rien. Toujours est-il que l'instant suivant, le bipbip de mon portable claironna un texto.

Mon amour,

Si tu m'aimes, il faut que tu admettes que nous ne vivrons jamais ensemble, car je ne te rendrai jamais heureuse, si tu m'aimes, il faut que tu comprennes que mon métier c'est ma vie et que je ne peux pas l'abandonner ; si tu m'aimes n'oublie pas que mon amour pour toi est sincère mais impuissant à me changer. Je sais que je vais être très malheureux, je vais me noyer dans le travail, je veux garder de notre histoire un souvenir éblouissant. Je t'aimerai toujours.

François

Je restai clouée sur le lit calme en apparence, mais mon dedans tourbillonnait en une danse de folle. Qu'est-ce que cela signifiait ? J'avais l'impression qu'il s'agissait d'un jeu, un jeu cruel, tels ces enfants qui poussent des rires cristallins en crucifiant des papillons aux ailes bleues. Oui, j'étais un papillon et François m'épinglait, j'avais mal, j'avais trop mal. Comment pouvait-il embrocher le bonheur ? Qui l'autorisait à me faire boire des lames de rasoir ? Il va m'appeler en s'excusant, me dis-je. Je téléphonai à quelques amies pour expliquer, réexpliquer. Elles ne surent quoi me dire, parce que de mémoire d'humain, elles n'avaient jamais vu une telle séparation chez des gens englués dans un tel élixir d'amour.

Et j'attendis. C'était une belle journée, une journée lumineuse qui semblait être un cadeau du ciel. « Tu as affaire à forte partie, me dit Rosa de sa voix fêlée par les coups de la vie. À forte partie », répéta-t-elle. Je la regardai et une mouche voleta dans les airs, une grosse mouche verte, qu'elle fracassa d'un coup de torchon. La mouche s'écroula dans la confiture où elle se figea. Je la sortis du pot, la pris dans mes mains : « Tu es comme une femme amoureuse, lui dis-je. Molle et fragile. »

Le reste de la journée, j'essayai de camoufler mes remous intérieurs. François me manquait et ce vide m'envahissait. Comment était-ce possible ? Au fur et à mesure que je me posais des questions, un rideau poisseux tombait sur mes tentatives d'analyse. Comment était-ce possible ? Pourquoi m'avait-il entraînée sur l'extrême pointe de la passion ? Serait-ce par pur sadisme ? Comment était-ce possible ? Je déjeunai d'angoisse, bus le thé amer de la déception en fumant tant de cigarettes que le Bon Dieu dut y voir noir.

La nuit me trouva prostrée, serrant mes draps entre mes mains jusqu'à m'en blanchir les jointures. Quelqu'un appelait, quelqu'un venait m'expulser du ventre mou de la souffrance où je m'enfonçais. Je reconnus à peine sa voix.

— C'est trop dur. Je n'y arrive pas. Je n'y arrive pas.

— ...

— Je souffre le martyre, je t'aime tant.

— ...

— Ma femme menace de se suicider, tu comprends ? Je ne peux pas l'abandonner. Je culpabilise tant !

— ...

— Je ne peux pas les abandonner, tu comprends ? Il y a des dizaines de personnes qui dépendent de moi.

— Je ne t'ai jamais demandé d'abandonner quiconque, réussis-je à murmurer. Je ne demande qu'à t'aimer.

— On m'oblige à faire un choix. Je ne peux pas laisser tomber mon travail.

205

— ...

— Imagine que je la quitte... Que vont dire la presse et la France profonde si on apprenait que j'ai quitté ma femme pour une femme noire ?

Tout reflua vers moi en un trop d'humiliations. J'avais l'impression d'appartenir à l'équipe de ces femmes bonnes à baiser dans les gouttières, d'ailleurs j'eus envie d'en convoquer une pléiade : celles qu'on n'épousait pas parce qu'elles étaient pauvres ; celles qui étaient indignes d'être traînées devant le maire parce que religieusement inadaptées. C'était les baisées du système amoureux. Ces hommes qui se baignaient en elles n'oubliaient jamais de dire « Merci, j'ai été si heureux avec toi ! » Puis encore « Merci, je t'aimerai toujours », parce que noires, jaunes ou blanches, musulmanes ou catholiques, fricotant avec Bouddha ou convoquant les esprits de l'eau. J'aurais dû assigner des caravanes de femmes qui avaient vécu avant moi, des femmes avec bonnet et tablier, des femmes avec houe et balai. Pourquoi sommes-nous si imprudentes, si stupides lorsque nous nous trouvons dans les nasses de l'amour ? J'aurais dû exiger une réponse limpide lorsque

Lou avait émis l'hypothèse raciale comme frein à notre amour. Au lieu de ça, j'avais ri de bon cœur en dévorant mes escargots. J'avais ri avec insouciance en montrant mes trente-deux dents et en savourant un verre de champagne.

— Je ne vois pas ce que les tribunaux des médias et les juges d'audience viennent faire dans notre histoire, articulai-je sèchement.

— Tu es naïve.

— Ouais. Et même imbécile, m'a dit Lou.

Je raccrochai et les machinations les plus sordides fusaient dans mon cerveau. J'avais envie de l'attraper par le cou et de l'obliger à boire l'huile bouillante de l'insulte ; j'avais envie de le faire marcher pieds nus sur les laves d'un volcan en éruption ; j'avais envie de tailler ses oreilles avec une lame et de saupoudrer ses blessures de piment. J'avais tant d'envies qu'elles finirent par s'éteindre d'elles-mêmes, puisque tout finit toujours par mourir.

Mon amour,
Je m'en veux terriblement de la peine que je te fais, de ce chagrin que tu ne mérites pas. J'ai pour toi des sentiments si forts que j'en ai

le vertige. *Je ne peux pas liquider mon passé, je n'en ai pas la force. Je me sens fatigué, si âgé subitement et la peur de te décevoir est trop grande.*

François

Des jours et des jours je pleurai, me mouchai, bus mes larmes, me mouchai à nouveau, inondai mes draps de tout ce flux qui sortait de moi. Il m'écrivit des centaines de textos, m'appela parfois, « Tu me manques, tu me manques tant, je t'aime, ne pleure pas, tout est de ma faute ». Parce qu'il en est ainsi de nous autres femmes, toujours à nous substituer à la Croix-Rouge pour soulager la souffrance des hommes, je le consolais : « Calme-toi, mon amour. Ressaisis-toi. Ne sois pas triste. » J'en arrivais à oublier qu'il était coupable, coupable désarmé mais coupable de n'avoir pas eu le courage de marcher avec moi dans la lumière d'une vie nouvelle. Il raccrochait, téléphonait encore pour me dire d'attendre, de lui laisser le temps de gérer ses problèmes, qu'il divorcerait, que loin de moi il manquait d'oxygène. Puis il téléphonait à nouveau, se contredisait, machinait arrière, puis machinait devant et je cheminais entre les troupeaux de ses hésitations, aveuglée par la poussière de l'indécision. Je me cognais à ses contradictions, je m'éraflais à ses atermoiements. J'en avais des bleus à l'âme, des nœuds aux tripes. J'étais courbaturée du cœur et mes sens saignaient.

— C'est un trouillard, Andela, me dit Rosa en serrant son balai entre ses cuisses. Il a du mal à quitter définitivement sa litière même si elle est pleine de puces. C'est qu'un lâche, punto aparte.

— Les mecs sont tous comme ça ?

— Ouais. Surtout les vieux. Ils ont peur de changer de peau. Ce sont leurs épouses quand elles ont un peu de dignité qui les foutent à la porte, sinon ils restent et bouffent leurs misères jusqu'à la mort.

— Mais d'où vient cette peur ?

— Va savoir ! Peut-être de leurs queues devant ? Peut-être parce qu'ils ne peuvent pas porter la vie dans leurs ventres ? Va savoir, va savoir !

Ce que j'ai de mieux à faire, c'est de me coucher, de prendre un calmant, demain est un autre jour. Pour l'instant, oublier. Oublier que j'ai un corps, qu'il brûle au-dedans, résonne, amplifie tous les bruits. Tu te rends compte, ma Rosa, de ce qui m'arrive ?

Ma mémoire me tourmentait. Je voulais courir au hasard en happant des odeurs qui me serviraient de balise afin de me retrouver, mais je n'y arrivais pas. Je voulais fuir par les rues et trouver d'autres hommes qui effaceraient son empreinte sur mon corps, mais je n'y arrivais pas. Alors je dormais, sans décompte de nuits, sans décompte des jours. Quelqu'un caressait mes cheveux, je sentais ses mains sur mes joues et sur mon cou. J'ouvris les yeux et ébauchai un sourire.

— Je t'aime, murmura François en s'effondrant en pleurs.

Puis, sans prévenir, il me serra dans ses bras avec la désespérance d'un condamné. Alors, nous ne tolérâmes plus rien d'autre que la cadence lascive de nos corps. Nous fîmes l'amour dans une gamme de tristesse. Les heures filèrent douces amères. Plus tard, sa tête posée sur mes genoux, je caressai ses cheveux et, le regard perdu sur le mur, je lui demandai :

— Est-ce que ça vaut vraiment le coup ?

— Qu'est-ce qui vaut le coup ?

— Ce renoncement. Est-ce que ça vaut vraiment le coup ?

Il s'habilla sans répondre, se dirigea vers la porte, puis, comme s'il s'était souvenu de quelque chose, il se tourna vers moi et son expression fermée me tétanisa.

— Je t'aimais, je t'aime, je t'aimerai toujours, dit-il.

— Pourquoi t'en vas-tu dans ce cas ?

— Parce qu'il y a des réalités auxquelles tu ne comprends rien, malgré ton intelligence. Il y aurait tant de branches à couper si je quittais ma vie d'avant, tant de personnes qui me fermeront leur porte, tu comprends ? Trop d'implications, et ça, je ne saurai le supporter. Prends soin de toi mon bel amour. Je ne t'oublierai jamais.

— Ton plus grand amour bien avant moi, dis-je amère, c'est la réussite.

Il tira de sa poche des lunettes et les chaussa.

Derrière ses verres, ses yeux devinrent deux fois plus grands, plus froids et il conclut :

— Seul le temps effacera notre chagrin. Maintenant, adieu. Protège-toi.

Je le regardai s'éloigner, monter dans sa voiture et le suivis des yeux jusqu'à ce que l'automobile disparaisse dans un crissement de pneus.

Se protéger. C'est un avis utile, me dis-je. Pourquoi ne pas le suivre ?

Puis je fermai ma porte.

Mon amour,

Je suis écrasé de chaleur, de fatigue, de stress, d'inquiétude, de doutes et de regrets. Entendre ta voix me détruit chaque jour un peu plus. Je sais que je vais te perdre. Comme dans un film, je vois ta silhouette s'éloigner, je ne fais rien pour la retenir, parfois soulagé par cet éloignement, parfois terrassé par la douleur. Ce soir, dîner familial. Je vais sourire comme à Carcassonne. Le lion est retourné dans sa cage les griffes à nouveau limées ; la dompteuse sera contente, le fauve sera docile, il connaît son numéro par cœur. Ça ne s'oublie pas. À ton âge, j'avais l'énergie et le courage. Il me reste l'énergie et la passion de mon métier. Pour le reste, je suis un gagne-petit du bonheur qui grâce à toi a tutoyé les étoiles pendant deux ans. Je t'en serai reconnaissant à vie. Je me sens seul, je t'embrasse. Je t'aime. Signé un Blanc lâche comme les autres.

François

Mon amour,

Je n'ai pas dormi de la nuit. J'ai cru que j'aurais la force d'aller au sommet de la montagne. Jamais je n'aurais imaginé te faire un tel chagrin parce que je te croyais beaucoup plus forte que moi, plus armée pour affronter une telle situation. Je pleure sans arrêt et je me cache derrière mes lunettes, je veux croire que je vais réagir, que nous allons moins souffrir, que je vais me réveiller, je sais qu'à terme je vais me réveiller, tu m'as transmis le virus du bonheur. Il circule en moi. Un jour j'aurai le courage et j'espère la force de commencer une nouvelle vie, sans compromis et sans culpabiliser. Seras-tu là, Andela ? L'avenir le dira. Je t'aime, je t'aime, ma petite Andela. Je t'embrasse fort.

François

François était parti. C'était une fuite orchestrée, un projet soigneusement mûri à l'ombre des questions cruelles dont j'eus préféré ne pas connaître l'essence. Je l'ai haï de m'avoir laissée comprendre les raisons de cette désertion. Je l'ai détesté de m'avoir donné à voir son inaptitude chronique au courage. J'ai exécré cette manière qu'il eut d'être en avance sur la lâcheté. J'eusse préféré ne pas découvrir que l'homme qui m'offrait le ciel était petitement accroché à son succès de paillettes. J'eusse souhaité que cet homme qui avait eu à mon égard des attentions de prince ne craigne que la couleur de ma peau ne brise sa carrière. J'eusse désiré ne jamais rencontrer sa personnalité aussi poreuse qu'une termitière. J'eusse voulu qu'il ne se transforme plus jamais en homme-chat en me laissant la mue de l'homme-tigre. Il avait sabordé ma foi, bousillé mon espérance et déclenché quelques mauvaises lunes de ma vie.

Aujourd'hui, alors que je suis assise sur ce passé, je souris en regardant ses émissions. Il reste quelque part au tréfonds de moi des bribes de sentiments, des éclats d'émotions et des semblants de tendresses. J'analyse ses postures, ses jeux de corps, ses intonations tandis qu'en saint des saints, il commente le football en interviewant des saintes stars. Je le regarde longuement, guettant quelques signes de celui qui s'est révélé à moi, cet homme qui a mordu le plaisir jusqu'à épuisement. Des visions de cimetières tournoient devant mes yeux. Des cadavres gisent çà et là, sans sépulture. Quelque part, une voix de femme déchire les nuages : l'homme-tigre est mort, l'homme-lion est mort, l'homme-guépard est mort, mort, mort. Je frappe mes mains l'une contre l'autre tels des tambours de joie à la cadence de cette oraison funèbre. Rien ne s'explique vraiment. Le beau meurt, le laid aussi. Un accident de parcours. Il en va ainsi de la vie, il en sera toujours ainsi de l'amour. Une tendresse que je ne tiens pas en bride illumine mes paupières : l'acte le plus courageux de la vie de François, c'est de m'avoir aimée et à ça, il n'y a rien à ajouter.

DU MÊME AUTEUR

Aux Éditions Albin Michel

LE PETIT PRINCE DE BELLEVILLE

MAMAN A UN AMANT, Grand Prix littéraire de l'Afrique noire

ASSÈZE L'AFRICAINE, Prix Tropique – Prix François-Mauriac de l'Académie française

LES HONNEURS PERDUS, Grand Prix du roman de l'Académie française

LA PETITE FILLE DU RÉVERBÈRE, Grand Prix de l'Unicef

AMOURS SAUVAGES

COMMENT CUISINER SON MARI À L'AFRICAINE

LES ARBRES EN PARLENT ENCORE

FEMME NUE, FEMME NOIRE

LA PLANTATION

Chez d'autres éditeurs

C'EST LE SOLEIL QUI M'A BRÛLÉE, Stock

TU T'APPELLERAS TANGA, Stock

SEUL LE DIABLE LE SAVAIT, Le Pré-aux-Clercs

Composition IGS
Impression Bussière, mars 2007
Éditions Albin Michel
22, rue Huyghens, 75014 Paris
www.albin-michel.fr

ISBN broché : 978-2-226-17715-5
ISBN luxe : 978-2-226-13984-9
N° d'édition : 24162. – N° d'impression : 071170/1.
Dépôt légal : avril 2007.
Imprimé en France.